韓国

ことばと文化

延恩株

論創社

はじめに

大学で韓国語や韓国の文化、風土、歴史などについて教え始めて、いつの間にか二〇年近くになってしまいました。そして、韓国という国を、韓国人という人間を理解してもらうためには、たとえば、韓国語の授業で韓国語だけを教えれば、それで済むというわけにはいかない場合も出てきます。時には韓国の現代事情や歴史、文化、風土もまじえて教える必要があるからです。当然その逆もあって、韓国の現代事情や歴史、文化、風土などを教える授業で、言葉そのものに触れる必要性が出てくることもあります。

しかし、授業内容に関連するからと言って、関連事項にばかり長く時間を割《さ》くわけにはいきませんし、授業進度の関係で、時には何も触れず済ませてしまうこともあります。こうしたことが重なると、私には何か忘れ物をしたような感覚がついて回るようになり始めていきました。

幸いなことに、メールマガジン『オルタ』の編集長だった故加藤宣幸氏からお誘いを受けて、私は二〇一四年七月から毎号、韓国に関する、テーマ自由の文章を掲載していただけるようになりました。このメールマガジンは、二〇一八年二月に加藤氏の急逝という予想外の悲しい事態と混乱を克服して、『オルタ広場』として発行が再開され、現在に至っています。

こうして、私の「忘れ物感覚」を薄めようとする思いが、『オルタ広場』での執筆エネルギーになっているのかもしれません。毎回のテーマを決めるについては、即座に思い浮かぶ時もあれば、数日、考え込んでしまう場合もあります。なかなかテーマが決まらないのは、書くテーマがないのではなく、その時々で最もふさわしいテーマは何か、で悩んでしまうからです。

結局は自分の授業に関連しながら触れられなかった内容や、より詳しく説明すべき事柄、さらには授業には関係なく、多面的に紹介したい韓国事情などをテーマとして取り上げていくことになります。その意味では、『オルタ広場』に掲載してきた内容に不統一感があるのは否《いな》めません。

今回、一冊にまとめるにあたって、〈ことば〉に関わる内容の文章を集め、「第一章 生活・伝統」「第二章 世相・時事」「第三章 ことば・文化」の三部で構成することにしました。その際、重複している記述、時間的なズレから生じた統計的な数字を改めたほか、表現的に修正、加筆した箇所があることをお断りしておきます。

現在、韓国と日本の関係は残念なことに、最悪と言ってもいいほどこじれてしまっています。両国の現政権の政治姿勢が大きな原因であることは言うまでもありません。しかし、両国のメディアが自国民に伝える相手国の情報に時として偏向性があり、しかも、それがすべてであるかのような印象を与えてしまう報道姿勢にも、一つの要因があるように思っています。

それだけに、私のような立場の者が韓国の言葉と文化について触れることで、多少なりとも韓国の実像を知っていただき、両国の友好的な関係を築く一助になるならば、これほどの大きな喜びはありません。

延　恩株

韓国——ことばと文化

目次

はじめに　i

第一章　生活・伝統

第二章　世相・時事

第三章　ことば・文化

韓国——ことばと文化

第一章　生活・伝統

1　韓国の姓名について

日本では、自分の苗字や名前を「氏名」「姓名」といずれも使い、一般的にはほとんど区別していないように思います。事実、『広辞苑』の「氏名」の項では〝「うじとな」「姓と名」〟とあります。「姓名」の項では〝(「かばね」と「な」との意)「苗字と名前」「氏名」〟となっています。要するに「氏名」と「姓名」に異なる意味合いはほとんどないことがわかります。

それでは「氏」だけですと、どうなのでしょうか。同じく『広辞苑』には、〝①血縁関係のある家族群で構成された集団。②古代、氏族に擬制しながら実は祭祀・居住地・官職などを通じて結合した政治的集団（以下略）。③家々の血統に従って伝えて称する名。また家の称号。④家柄。⑤（略）⑥姓・苗字の現行法上の呼称〟となっています。

現在、日本では「氏」だけでも、『広辞苑』の⑥のように解釈をしているようです。ところが韓国では、公的な文書では、「姓名」欄はありますが、「氏名」欄はありません。つまり、法律的には、苗字は「姓」とされていて、「氏」は「姓」として扱われていないのです。

それでは韓国では、「氏」は使われていないのかというと、そうではありません。「氏」は『広辞苑』の「氏」の項にある①と③を合わせたような意味合いとして、今でも重要な役割を果たしています。「本貫」（본관、ポングァン）と呼ばれているものが、それに当たります。

韓国での「本貫」とは、氏族の始祖が住み着いた場所や、出世をした子孫に与えられた土地を指しています。同じ父系であることが求められ、母系ではありません。基本的には、宗族《そうぞく》集団が誕生した土地（発祥地）を指しますから、現在、日本で使われている「本籍地」とは意味合いが違っていて、自分の「姓」の発祥地を指しますし、遠い遠いご先祖様との結びつきを自覚させる役割を持っています。

この「本貫」は、朝鮮王朝時代（一三九二〜一九一〇）以降、家族制度の重要な要素として、人びとの生活に根づき、法的にも一定の拘束力を持つようになりました。現在でも韓国では、「姓」と一緒に「本貫」がついて回ります。その理由は、韓国では、金《キム》（김）、李《イ》（이）、朴《パク》（박）、崔《チェ》（최）、鄭《チョン》（정）は〝五大姓〟と呼ばれていて、この五つのいずれか

の姓を名乗る人が全人口の五五％近くを占めています。つまり、韓国人の二人のうち一人は金、李、朴、崔、鄭さんということになります。

こうなりますと、「それではあなたと私は初めてお会いしましたが、親戚同士？」といったことが起きてしまいます。そこで、この「本貫」の役割が重要となります。

韓国の家族関係登録簿には、「本」（본、ボン）という欄があります。「本貫」の略です。この欄には始祖が住み着いた土地の名前が記されます。

「金」さんですと、伽耶《カヤ》王族系（紀元後四二～五六二）と新羅《シルラ》王族系（紀元前五七～九三五）というように、始祖が違う宗族が存在しています。始祖が違いますから、たとえ同じ「金」さんでも、先祖が違うことを示す必要が出てきます。つまり、「本貫」は宗族集団が同じか、違うのかを示す有効な手段となります。

したがって、家族関係登録簿の「本」に〝金海金氏〟とあれば、〝金海《キムヘ》という地域を始祖とする金氏族の宗族集団〟の末裔の金さんということになります。韓国人が〝金海金氏〟と聞けば、「ああ、金海が本貫だから、伽耶王族系の金さん」と理解します。ちなみに、金大中《キムデジュン》第一五代大統領（在任期間は一九九八年～二〇〇三年）は〝金海金氏〟でした。

また、〝慶州金氏〟と聞けば、「慶州《キョンジュ》が本貫の新羅王族系の金さん」となり、たとえば、金泳三《キムヨンサム》第一四代大統領（在任期間は一九九三～一九九八年）はこちらでしたから、この二人の金さんは、お互いに親戚ではないと判断します。そのほか〝光山《クァンサン》金氏〟〝金寧《クムニョン》金氏〟なども、地域によって区別されているのは言うまでもありません。

姓が同じで、「本貫」も同じ場合は「同姓同本」（동성동본、トンソンドンボン）と言います。つまり、同じ一族、親戚と見なされます。逆に「同姓異本」（동성이본、トンソンイボン）は、同じ姓だけれど自分とは関わりのない別の一族と見なします。

「本貫」の制度は、朝鮮王朝時代以前の高麗《コリョ》時代（九一八年～一三九二年）に取り入れられて、統一王朝として郡県制が実施され、地方の有力豪族たちがみずからの出自を正統づけるために盛んになったといわれています。これをより正統化する道具立てとして、朝鮮王朝時代には、一族の系譜が記された「族譜」（족보）の整備が進み、家族制度を保つ重要な要素となっていきました。

この「家族制度を保つ」という意味から「同姓同本」同士の結婚は許されませんでした。同姓同本の人たちは一族と見なされ、たとえまったく面識がなくても、近親結婚を避けるという意味から、結婚はできませんでした。なお、朝鮮王朝時代は異姓同本の婚姻も禁じられていました。

日本の植民地統治時代（一九一〇～一九四五年）でも、家族制度については朝鮮戸籍令に基づいて戸籍に「本貫」が残され、朝鮮民事令で「同姓同本」の結婚が禁止されていました。しかも、こうした法令は一九四五年以降も、そのまま受け継がれました。それだけ韓国人には「本貫」の持つ意味が重かったとも言えます。

結局、「同姓同本」の結婚を禁止した民法第八〇九条の規定が憲法裁判所で違憲とされたのは一九九七年のことでした。しかし、国会は憲法裁判所の違憲判決に対して、即座に対応せず、二〇〇五年にようやく改定案を発表しました。こうして、同姓同本の禁婚規定は正式に廃止され、同姓同本婚の制限はかなり緩《ゆる》やかになりました。しかし、現在でも八親等以内の婚姻は認められていません。ちなみに日本では、三親等以内の血族者との結婚は認められていませんので、いとことなる四親等とは結婚ができます。でも韓国では、八親等ですから、自分の曽祖父母の兄弟のひ孫まで離れないと、結婚は認められません。

そもそも「本貫」や「族譜」は、両班（양반、ヤンバン）のもので、少なくとも朝鮮王朝時代の両班以外の良民《ヤンミン》（中人《チュンイン》と常人《サンイン》）と賤民《チョンミン》（奴婢《ノビ》と白丁《ペクチョン》）など、多くの人びとには無縁のものでした。しかし、現在では韓国人なら誰もが「本貫」を持ち、どの家系にも「族譜」があります。

この不自然さを解く鍵は、朝鮮王朝時代末期に没落した両班階級が裕福な一般人（良民など）に家名を売って生活をしのぐということが、ごく当たり前に行われたからです。また、「族譜」についても、ある時代まではなかった名前が突如として現れるということも珍しくなくなっていきました。こうして、ごく一部の特権階級が持っていた「本貫」や「族譜」を誰もが持つようになったことが、韓国人の苗字が日本と比べると桁違《けたちが》いに少ない理由になっていると考えられます。

韓国統計庁が発表した「二〇一五年人口住宅総調査」によりますと、二〇一五年一一月基準で、韓国人の姓は五五八二種で、二〇〇〇年の調査からわずか一五年で一〇倍以上に増えたことになります。また本貫も三万六七四四個となり、これも二〇〇〇年の調査での四一七九個から大幅に増えました。増加の理由は、調査の正確性が向上したことと、帰化した人が増えたからだとしています。そのため漢字表記のない姓が四〇七五種に上ったということです。韓国の姓や本貫にも国際化の中で変化が起きていると言えます。

ただ韓国でいちばん人口が多い姓は「金《キム》」さんであることには変わりなく、一〇六九万人で、全人口の二一・五％を占め、ほぼ五人に一人が「金」さんです。二位は「李《イ》」さんで、七三一万人、一四・七％、三位は「朴《パク》」さんで四九一万人、八・四％となっています。

ちなみに私の「延《ヨン》」は二万八四〇〇人ほどで、〇・〇五%にすぎません。

韓国人の姓の多くが一文字なのは日本の方もご存じだと思います。中国でもたいてい一文字の姓です。そのため、姓だけで韓国人か、中国人か判断するのは難しいかもしれません。実は私も判断つかない場合がよくあります。

朝鮮民族は漢民族とは系統的には、まったく異なる民族です。ですから、中国の影響が及んでいなかった頃は朝鮮民族独自の姓があったはずです。でも、中国の力が朝鮮半島に完全に及ぶようになった三国時代（紀元前五七～九三五）には、すでに中国風の姓が使われるようになっていたようです。

確かに韓国人か、中国人か判断つかない場合が多いのですが、韓国人とみなせる姓もあります。それは「朴《パク》」（박）です。もし中国人で「朴」さんなら、その方は朝鮮族と見て、ほぼ間違いないでしょう。

一方、「何《か》」という姓は韓国にはありません。また「河《ハ》」（하）とあれば、まず韓国人と判断していいでしょう。さらに「全《チョン》」（전）や「玉《オク》」（옥）も中国ではあまり見かけません。

字体から区別がつく姓もあります。韓国では、姓もハングルで書いてしまう場合が多く、

あまり混乱は生じませんが、日本、中国では常に漢字を用いますから、注意が必要で、よく字体を間違えているのを目にします。それは、「曹《そう》」と「裴《はい》」です。この字体なら日本の方も見慣れているはずですし、中国人の姓としてもあります。ところが、韓国には「曺《チョ》」（조）という文字があります。よく注意しないと「曹」と間違えてしまいます。「曹」の縦棒が一本だけです。また「裵《ぺ》」（배）という文字もあります。こちらの方がより注意が必要でしょう。「裴」の〝なべぶた〟の部分が「非」の上に移ります。

日本にも日本独自の国字というものがあり、「峠」「辻」「畑」などがよく知られていますが、「曺」や「裵」は韓国独特の字体と言えるでしょう。ただ、本来は「曹」と「裴」だったものが、いつしか「曺」と「裵」に変わってしまったようで、国字と言えるか、意見が分かれるところでしょう。いずれにしても、姓が「曺」や「裵」であれば、まず韓国人と判断できると思います。

ところで、日本の方から見ると奇異に映るだろうと思われる姓が韓国にはあります。たとえば、思いつくままに挙げれば、「夜《ヤ》」（야）「魚《オ》」（어）「皮《ピ》」（피）「昔《ソク》」（석）「甘《カム》」（감）「介《ケ》」（개）「夫《プ》」（부）などです。ところが、意外にも現在、日本人の姓として存在しないのは、「夜」「皮」「介」だけのようです。

また、韓国人の姓には、日本人が帰化した際、姓はそのままで、すっかり定着して市民権を得ているものもあります。

「長谷」（장곡 チャンゴク）、「辻」（즙 チュプ）、「小峰」（소봉 ソボン）、「網切」（망절 マンジョル）、「岡田」（강전 カンジョン）などがそうです。

先述しましたように、韓国人はハングルで書きますから、これらの漢字をほとんど意識しません。そのため、もともとは日本人の姓だという認識を持たないのが一般的です。

韓国人の姓は一文字が多いのですが、名前は圧倒的に二文字が多いと言えます。しかも、兄弟では必ず一文字は同じ文字が使われています。これを行列字《こうれつじ》（항렬자 ハンニョルチャ）と言います。

かつては「同姓同本」ですと、同じ世代の者は行列字によって同じ文字を一文字入れて名前が付けられましたから、誰もが自分が一族の何代めで、どちらが世代が上か下かがわかりました。

ところが、最近はこうした行列字で名前がつけられるのは、一家族か、近い親戚程度の範囲になってきています。また、特に女性に多いのですが、韓国の固有語、つまり漢字がないハングルだけでしか表記できない名前をつける人が増え始めています。私の大学の韓国からの留学生にも漢字がなく、カタカナ表記しかできない学生が毎年います。

さて、表記と言えば、人名や地名はハングル以外では、原則的にローマ字で表記されることになっています。ところが、韓国を訪れた日本の方から何回か非難めいて指摘されたことがあります。たとえば、道路標識に記されている地名のローマ字表記が読めない、わからないというのです。

このローマ字表記については、私もかねがねおかしいと思っています。それもそのはずで、韓国では定められた表記法に完全に従っているとは限らず、これまでの慣用的な表記がかなり定着してしまっています。特に姓名の場合、原則性がありません。そのため同音でも、複数の表記が可能となっています。たとえば、李《イ》（이）は「LEE」「REE」「I」「YI」となり、朴《パク》（박）は「PAK」「PARK」「PACK」などと表記されます。

つまり、原則に照らしてローマ字表記しているわけではありませんから、パスポートなどに記入される姓名のローマ字表記などは本人の自由に任されているのが現状です。ちなみに、私の苗字のローマ字表記は「YEON」です。韓国語のローマ字表記法に準じていますが、「延」の韓国語発音がわからない場合、どのように発音していいのか戸惑うかもしれません。

確かにローマ字表記を見ても原音に近い音が出せず、本人に訊かないとわからないようなローマ字表記では、世界に取り残されていくのではないかと、祖国を離れている私としては、少々心配になってきます。国としてきちんと取り組むべきだと思います。

最後に、日本と完全に異なる点があります。それは女性は結婚しても姓名が変わらないことです。子どもは父親の姓を名乗り、生涯、変わりません。そのため同じ家族であるにもかかわらず、我が家では母親と私は姓が違いますし、祖母が生きていたときには、一家族に三つの姓が存在しました。

でも夫婦、子どもが別姓だからといって家族の結びつきが弱くなるなどということはありませんし、普段は何も意識していません。日本では「夫婦別姓」について議論があるようですが、私はどちらでもかまわないと思っています。大切なのは形ではなく、夫婦、あるいは親子がしっかり結びついている家族を作り上げることこそ、いちばん重んじられなければならないでしょう。

2　韓国語と漢字

日本人が使う言語を「日本語」と呼ぶように、朝鮮民族が使う言語は「朝鮮語」と呼ばれます。でも現在、朝鮮民族は三つの国に分かれて生活しています。「大韓民国」（韓国）「朝鮮民主主義人民共和国」（北朝鮮）、そして、「中華人民共和国」（延辺朝鮮族自治州）です。でも、「大韓民国」では、朝鮮語ではなく「韓国語」と言います。日本でも、韓国と国交を結んでいますから、最近では「韓国語」と言うのが一般的で、それが定着しているようです。

ですから、私が今さら言うのもおかしいのですが、これからお話しするのは、韓国の言語政策、言語事情に基づいてのことになります。

ここでは、韓国語のなかの漢字語について、少し考えてみようと思います。

韓国には「ハングル世代」という言葉があります。大きな枠組みでは、一九四八年に韓

国（大韓民国）が建国された後に生まれた韓国人すべてが「ハングル世代」です。なぜなら、建国と同時に「ハングル専用法」が制定されて公文書はすべてハングルで表記することが法律で定められたからです。でも、この時代はまだ漢字教育が完全に廃止されたわけではありませんでした。その後、朴正熙《パクチョンヒ》（박정희）大統領（一九三六～一九七九年）が一九六七年に「漢字廃止五年計画」を出し、一九七〇年以降、漢字使用を禁止しました。

そのため、一九七〇年以降に中学、高校生になった若者たちは、まったく漢字教育を受けなくなりました。韓国では、この時代以降の人びと、つまり現在、六〇歳以下の韓国人は確実に漢字を知らない「ハングル世代」といえます。

したがって、私も漢字を知らずにハングルだけで教育を受けた韓国人です。ですから、もし日本へ留学しなかったら、私は漢字を知らないまま、今も韓国で生活していたに違いなく、このような韓国での漢字についての文章など書けなかったはずです。

私が漢字を学ばなかったら、韓国語の語彙は大きく分けて、

朝鮮民族として古くから使い続けてきた固有語。

漢字文化圏として中国から伝えられた漢字語。

歴史的にはかなり新しい時代に入ってきた外来語。

があることは知識としては理解していたでしょう。でも日常、なにげなく使っているハングルの中に漢字語が出てきても、すぐに漢字が思い浮かぶということは決してなかったと思います。それどころか、どれが漢字語なのかもわからなかったでしょう。

たとえば、現在、日本ではたくさんのペットボトル入りお茶が販売されています。ウーロン茶もその一つです。でも、このお茶を飲むときに、もともと中国から入ってきた「烏龍茶」（WuLongCha）という漢字で表記されるお茶、などと意識しながら飲む日本の方はほとんどいないと思います。すっかり日本語になってしまっていて、漢字があることなど意識しないまま「ウーロンチャ」と言っています。韓国人がハングルを使っている時もほぼ同じような状況なのです。

そのような言語感覚だった私が日本へ留学したのですから、漢字との出会いは大変衝撃的でした。なにしろ「わたしの名前は연은주（よんうんじゅ）です」という言語生活をしてきた私が「私の名前は延恩株です」に変えなければならなかったのですから。

私の漢字学習の苦労話については省略しますが、日本でのひらがな混じりの漢字表記に慣れるにしたがって、漢字が表意文字であることに新鮮な驚きを覚えたものでした。漢字一字ごとに意味を持つ表意文字（正確には、一字ごとでは「表語文字」と呼ぶようです）と音で意味を伝える表音文字の組み合わせの日本語は、単語そのものの意味を知らなくても、漢字の源義《げんぎ》がわかっていれば、おおよその内容が理解できるからです。

でも、ハングルは表音文字ですから、発音する言葉の意味を知らなければ理解できません。留学以前、漢字を知らなかった私はハングルと漢字を結びつけて考えることがありませんでした。

ところが、日本で漢字を学んだことで、ハングルで表記されている文章も実は漢字は見えなかっただけで、日本語の漢字とひらがなの組み合わせとまったく同じだったことが理解できるようになりました。たとえば、ひらがなで「こくみんせいかつの きんとうな こうじょう」と表記された場合、「きんとう」と「こうじょう」の意味は、即座にわからない人もいると思います。ところが「国民生活の均等な向上」と漢字が現れると、「均等」は「平均的で等しい」であり、「向上」は「上に向かっていく」という意味だと漢字によって理解できます。

日本へ留学する前の私は「국민《クンミン》 생활의《センワレ》 균등한《ギュンドゥンアン》 향상《ヒャンサン》」と表記されたハングルには「國民生活의 均等한 向上」という漢字が隠されているのを知りませんでした。漢字を知ったことでの新しい発見でした。それと同時に、同じ漢字文化圏だっただけに、なんだかずっと損をしてきたような思いに襲われたものです。

でも、視点を変えれば、韓国語を学ぼうとする日本の方には、ハングルだけの韓国語の文章の裏には、実は漢字が隠されているわけですから、この漢字をフル活用して韓国語を学ぶことができるわけです。漢字を知る人にとって、韓国語が学びやすいという理由は、文法的に似ているというだけではないのです。

繰り返しになりますが、現在、韓国では漢字は基本的に使われません。ですから、韓国のどの街を歩いていても、漢字を目にするのは稀《まれ》です。でも、時には使われることもあります。その代表的な例が姓名です。そのほか音だけではいくつもの意味が考えられて、間違える可能性が高いと判断されるようなときに、敢《あ》えて漢字で表記される場合があります。さらに商店や商品名などにも使われます。

ハングルの裏に隠されてしまった漢字ですが、漢字語がなくなったわけではありません。実は韓国語の語彙《ごい》に占める漢字語の割合は驚くほど多く、その割合は、およそ七〇%前後と言われています。これが医学や法学、その他の専門用語になりますと、当然、漢字語の割合はもっと高くなります。

次に韓国の漢字と漢字語について、少し整理してみましょう。

＊ 韓国の漢字は、画数が多い旧字体です。日本でも一九四五年以前は使われていたようですが、現在、日本で使われている漢字は中華人民共和国で正字として使われている簡体字《かんたいじ》とも違います。そのため韓国では、「日本漢字《イルボンハンチャ》」（일본한자）と呼びます。たとえば韓国では、

韓国→韓國、会社→會社、団体→團體、恋愛→戀愛

となります。

＊ 韓国の漢字は、日本のように音読み、訓読みという二通りの読み方はありません。日本的に言えば、音読みだけです。そのため漢字一文字は、必ずハングル一文字に置き換えることができます。「山」は、日本語では「さん」「やま」の二つの読み方がありますが、韓国語では「산 サン」だけです。

＊ 韓国の漢字は、おおまかに言えば、中国語、日本語、韓国独自、三種類の漢字が混

在しています。

たとえば、「안녕하세요」（アンニョンハセヨ）は、「こんにちは」「こんばんは」「おはようございます」といった意味で、日本でも比較的知られていますが、「안녕《アンニョン》」は「安寧」という漢字です。この漢字は中国語、日本語にもあります。でも「こんにちは」「こんばんは」「おはようございます」という意味はありませんから、韓国独特の意味になっています。

また、「換銭《ファンジョン》（환전）」は、日本語に訳せば「両替」の意味となり、韓国語にはあります。でも、日本語で「換銭」はありません。これは中国語がそのまま韓国語の漢字語として定着したものです。同様に日本語の「部屋」を意味する韓国での漢字語が「房《バン》（방）」なのは、これも中国語だからです。もっとも日本でも「書房」「左《さ》・右心房《うしんぼう》」「独居房《どっきょぼう》」などと、部屋のようなものを指すときに使わないわけではありません。

そのほかに、韓国で独自に造語された漢字語もあります。

「名銜《ミョンアム》（명함）」は名刺、「洋襪《ヤンマル》（양말）」は靴下です。

さらには中国語としての漢字や日本語としての漢字の変形もありますが、ここでは触れないことにします。

最後に、日本語の漢字がそのまま韓国語の漢字語として使われているものがありますので、それらを少し挙げてみましょう。

医師、運転、映画、会社、改札口、菓子、看板、記入、牛乳、玄関、砂糖、写真、授業、卒業、貯金、到着、売店、発売、平和、野球、洋服、輸入、輸出、陸橋、料金、社会
まだまだありますが、このあたりにしておきましょう。ただ、「無理」「都市」「市民」「視野」「無料」のように発音までほとんど同じ漢字語もありますが、一般的には発音は異なる場合が多いと言えます。そして、当然のことですが、これらの文字が漢字で表記されることはありません。

私もそうでしたが、日本へ留学した韓国の学生たちは、まったく漢字教育を受けていませんから、日本で漢字を学んで、韓国語のなかの漢字語の多さに驚く人がほとんどです。そして、ハングルだけで意味を理解していたときより、その言葉をより深く理解できるようになったと言う留学生がこれまたほとんどです。

私は個人的には漢字の効用はかなり大きいと思っています。残念ながら、韓国は漢字を

廃止してハングル一辺倒《いっぺんとう》になっています。ただ、漢字を自発的に学ぼうとする人たちもいます。こういう人たち（特に若者たち）の自由まで抑えつけてしまうような空気が韓国内にあるのはとても残念です。

3　韓国の四字成語

日本語がようやく聞き取れるようになった頃、日本の方がときどき四文字の漢字を使った表現をするのに気がつくようになりました。日本語の学習過程で、日本に四字熟語とか四字成語があるのは学んでいましたし、韓国にも中国からの文化受容が長く続いた関係から漢字成語（한자성어）、故事成語（고사성어）、四字成語（사자성어）と呼ばれるものがありましたから、そのことには驚きませんでした。

でも、日本語を聞いていて、耳にしたことがあるような発音だと思うことはありましたが、それが四字成語だとは理解できませんでした。また、漢字でどのように表記するのか示されても、漢字一文字ずつの意味さえ、まだしっかりわからない段階では理解不能の言葉群だったわけです。

たとえば、「大器晩成」ですが、これを「たいきばんせい」と言われても、また漢字で示されても意味はわかりませんでした。でも、〝大人物となるような人間になるまでには

それなりに時間がかかる〟といった意味だと説明されますと、それなら韓国にも「대기만성 テギマンソン」という表現があることに気がつき、韓日とも同じ意味で、この成語が使われていることを知ったというわけです。

これらの四字成語が使われ、しかも、共通しているのは、両国とも歴史的に長く中国の影響を受けた、漢字文化圏だったからです。

ただし、私を含めてハングル世代（一九七〇〜一九七二年に高校生だった世代よりあとの韓国人）は、「テギマンソン」から「大器晩成」という漢字を思い浮かべられる人はそう多くないと思います。つまり、「テギ」（大器）と「マンソン」（晩成）では意味がわかりませんし、「テギマンソン」は〝漢字成語〟としてより、一つの語句として理解していることになります。ですから、〝漢字成語〟といっても漢字が理解できない韓国人が多くなってきた現在では、漢字を知らないまま、こうした漢字成語を使っているわけです。

とはいえ、ある事柄を短い語句でぴったり表現できる成語は便利ですから、韓国にもかなりの数の〝漢字成語〟があります。そこでほんの少しだけ、韓国の四字熟語を紹介してみましょう。

取り上げた成語には念のために意味も示しますが、すべて『大辞林 第三版』（三省堂）

に依っています。

【1】漢字・意味とも韓日同一（中国とも同一）

①「五里霧中《オリムジュン》」（오리무중　ごりむちゅう）
〈五里にもわたる深い霧の中に居る〉の意。
方角が分からなくなってしまうこと。
物事の様子がまったく分からず、方針や見込みが立たないこと。

②「捲土重来《クォントジュンネ》」（권토중래　けんどちょうらい）
〈けんどじゅうらい〉とも。
一度敗れたものが、再び勢力をもりかえして攻めてくること。
一度失敗したものが非常な意気込みでやり直すこと。

③「内憂外患《ネウウェワン》」（내우외환　ないゆうがいかん）
国内の心配事と外国からもたらされる心配事。内外の憂患《ゆうかん》。

④「同床異夢《トンサンイモン》」（동상이몽　どうしょういむ）
〔同じ床《とこ》に寝ていても見る夢は異なる〕の意。
行動をともにしながら意見や考え方を異にしていること。

⑤「傍若無人《パンヤンムイン》」（방약무인　ぼうじゃくぶじん）
〔傍《かたわら》に人なきがごとし〕の意。
人前をはばからず勝手に振る舞うこと。
他人を無視して思うとおりのことをすること。また、そのさま。

【2】漢字・意味とも韓日同一（中国とは文字が一部異なる。意味は同じ）

①「抱腹絶倒《ポボクチョルト》」（포복절도　ほうふくぜっとう）
腹をかかえてひっくり返るほど大笑いすること。
中国では「捧腹大笑《ポンフーダーシャオ》」。

②「十中八九《シプチュンパルグ》」（십중팔구　じっちゅうはっく）

一〇のうち八か九まで。ほとんど。たいてい。
中国では「十有八九《シーヨウバージュウ》」。

③

「換骨奪胎《ファンゴルタルテ》」（환골탈태　かんこつだったい）
古人の詩文の発想・形式などを踏襲《とうしゅう》しながら、独自の作品を作り上げること。
また、他人の作品の焼き直しの意にも用いる。
中国では「脱胎換骨《トゥオタイホワングー》」。
ただし、中国では「新しく生まれ変わる」という意味で使われるようです。

④

「疑心暗鬼《ウイシムアムグイ》」（의심암귀　ぎしんあんき）
疑心があると、何でもないものにまで恐れや疑いの気持ちを抱くものである。
なお『大辞林 第三版』では、この解釈を「疑心暗鬼を生ず」で項目を立てています。
中国では「疑心生暗鬼《イーシンションアングイ》」。

⑤「羊頭狗肉《ヤンドゥグユク》」（양두구육　ようとうくにく）
看板には羊の頭を掲げながら、実際には犬の肉を売る。見かけと実質とが一致しないことのたとえ。見掛け倒し。羊頭《ようとう》を掲げて狗肉《くにく》を売る。

中国では「掛羊頭売狗肉《グワヤントウマイゴウロウ》」。

【3】漢字・意味とも韓日同一（中国にはない表現）

①「満場一致《マンジャンイルチ》」（만장일치　まんじょういっち）
その場にいる人全部の意見が一致すること。全員異議のないこと。

②「紆余曲折《ウヨコクチョル》」（우여곡절　うよきょくせつ）
㋐道などが曲がりくねっていること。㋑事情が込み入っていて、いろいろ変わること。

③「立身出世《イップシンチュルセ》」（입신출세　りっしんしゅっせ）

高い官職《かんしょく》や地位につき、有名になること。

④「自画自賛《チャワジャチャン》」（자화자찬　じがじさん）

㋐自分で描いた絵に自分で賛《さん》を書くこと。

㋑自分で自分のことをほめること。てまえみそ。

⑤「右往左往《ウワンザワン》」（우왕좌왕　うおうさおう）

〔古くは「うおうざおう」とも〕

あわてふためいて、あっちへ行ったり、こっちへ来たりすること。あわてて混乱した状態をいう。

【4】韓国だけで使われる漢字成語（中国、日本とも使わない表現）

①「賊反荷杖《チョクパンハジャン》」（적반하장）

日本では「盗人猛々《ぬすっとたけだけ》しい」

盗みや悪事をはたらき、それをとがめられても、ふてぶてしい態度をとったり逆に居直ったりするさまをののしっていう。ぬすびと猛猛《たけだけ》しい。

②
「青山流水《チョンサンユス》」（청산유수）
日本では「立《た》て板《いた》に水《みず》」
すらすらとよく話すさま。弁舌《べんぜつ》の流暢《りゅうちょう》なさま。

③
「作心三日《チャクシムサミル》」（작심삼일）
日本では「三日坊主《みっかぼうず》」
非常に飽きやすくて長続きしない人をあざけっていう。

④
「非一非再《ビイルビゼ》」（비일비재）
日本では「再三再四《さいさんさいし》」
何度も何度も。たびたび。

⑤
「甘言利説《カモンニソル》」（감언이설）

日本では「口車《くちぐるま》」
相手をおだてたりだましたりするための、巧みな話し方。

漢字成語（四字熟語）はまだまだあり、ここに挙げたのは、ほんの一例にすぎません。たとえば、日本では「良妻賢母《りょうさいけんぼ》」と言いますが、韓国では「賢母良妻《ヒョンモヤンチョ》」（현모양처）ですし、中国では「賢妻良母」と表記し、意味（夫にとってはよい妻であり、子にとっては賢い母であること）は同じです。

また、「八方美人」は日本、韓国とも使いますが、中国にはありません。ところが、韓国と日本では「八方美人」の意味が異なります。日本の「八方美人《はっぽうびじん》」は、誰からも悪く思われたくない、嫌われたくないために誰に対しても同調するような人を指して、ほめ言葉としてはあまり使いません。

ところが、韓国での「八方美人《パルパンミイン》」（팔방미인）は「何事にも秀《ひい》でた人」の意味で使われます。つまり、日本とは完全に反対の意味になって、褒め言葉なのです。

韓国で使われている漢字成語（四字熟語）は必ずしも中国から伝えられ、そのまま使われているものばかりではなく、時間の経過とともに多様な変化、変容、新たな誕生を遂《と》げてきています。私自身、中国からの成語と思っていたなかに、どうやら日本で生まれた四字熟語も混じっていたようです。私が韓国にとどまっていたら、おそらくこうした事実はつかめなかったと思います。

韓国では一九六〇年代から「日帝残滓《にっていざんし》の清算《せいさん》運動」が息長く続けられています。それには日本統治時代（一九一〇年～一九四五年）に使われていた日本語を排除しようとする「国語純化運動」も大きく関わっています。漢字廃止以降、ハングルに残されている日本語（漢字）を韓国独自の表現に改めることが続けられています。でも、ある単語の表現を変えるだけでも、時間が必要で韓国の現状がそれを証明しています。それが四字熟語となると、韓国人が日常的に使っていて、しかも、人びとに馴染んでいればいるほど、それらを他の表現に変えるには、多くの時間とエネルギーが必要になるのは言うまでもありません。

韓国人が使っている漢字成語のなかに、日本の四字熟語が存在しています。今後、韓国はどのように対処していくつもりなのか、大いに気になるところです。

4　擬声語、擬態語を覗く

擬声語《ぎせいご》は「犬がわんわん吠える」「みんながゲラゲラ笑った」というように人間や動物、物が出す音を言語音で表記した単語のことで、擬音語《ぎおんご》とも言われます。日本では自然界の物の音を表記したものを「擬音語」、動物の鳴き声や人間の声を表記したものを「擬声語」と区別する場合もあるようです。

一方、擬態語は「汗をびっしょりかいた」「床がつるつるすべる」など、物事の状態や動作を象徴的に言語音で表記した単語です。この擬声語（의성어）、擬態語（의태어）は象徴詞（상징사）、声喩《せいゆ》（성유）、オノマトペ（오노매토피어）などと総称されることもあります。

擬声語や擬態語は言語表現を豊かにするだけでなく、聞き手や読み手の情感《じょうかん》の世界をふくらませる役目もあり、重要な言語表現の一つです。でも、私のような外国人には日本語での擬声語や擬態語の表現はかなり難物です。特に擬態語は〝ピッタリ感〟や〝しっくり感〟が得られるまでには日本での生活の長さとも大きく関わっていて、今でも使いこなせていません。

こうした表現方法は世界のあらゆる言語に見られる現象で、特に擬声語は耳に聞こえる音を表記した単語ですから、世界の言語にもなんとなく似たような表現もあります。

犬の鳴き声を例に挙げますと、日本語では「ワンワン」、中国語では「ワーンワーン」(汪汪 wangwang)、英語では「バウワウ」(bow-wow)、フランス語では「ウワウワ」(ouâ-ouâ)、ロシア語では「ガフガフ」(gav-gav)です。

そして、韓国語では、「モンモン」(멍멍)です。「モン」とカタカナで表記すると、「ワン」とはかなり違うと感じるかもしれません。でも、韓国語の発音で実際にこの「멍멍《モンモン》」を聞きますと、日本語の「ワンワン」の音に似ていると感じる日本の方は多いのではないでしょうか。

動物の鳴き声では、韓国語には次のように、日本語と音がまったく同じものもあります。「메에」は「メエ」となります。羊やヤギの鳴き声です。

では「히힝」はどうでしょう。「ヒヒーン」となります。おわかりだと思います。馬の

鳴き声です。

　少々、クイズのようになりますが、次の擬音語はどうでしょう。韓国語と同じというわけにはいきませんが、少し推測、あるいはヤマ勘を鋭《するど》くするとわかるかもしれません。

　一つ目は「까악까악」です。「カアッカアッ」となります。答えはカラスの鳴き声です。日本では「カァーカァー」となります。

　もう一つ例示しましょう。「꼬끼오」です。カタカナ表記では「コキオ」です。なんとなく似ていると私は感じているのですが、にわとりの鳴き声です。日本では「コケコッコー」でしょうか。

　一方、擬態語になりますと、実際に耳にする音ではなく、状態や動作を象徴的に表現しますから、日本語と韓国語が完全に重なる表現は、私が知るかぎりではないようです。たとえば、笑いを表現する場合にも擬声語（擬音語）でしたら、日本語とまったく同じものがあります。


와하하（ワハハ）→日本語の「わはっは」

호호（ホホ）→日本語の「ほほ」

히히（ヒヒ）　→　日本語の「ひっひ」

もっとも擬態語でも推測やヤマ勘を鋭くするとわかる場合があるかもしれません。たとえば、「지끈지끈」です。発音すると「ジグンジグン」です。痛みが激しいときに使う表現です。日本語でも「ずきんずきんする」などと表現します。似たような例ですが、「지끈지끈」もあります。発音は「ジクンジクン」となり、頭痛のときなどに言います。日本語では「チクンチクン」「チクチク」でしょうか。

では、これはどうでしょう。

「재잘재잘」（ヂェジャルヂェジャル）

日本語で同じ意味を示す擬態語とは表記がまったく異なります。でも、「擬態語」として、日本の方にもその動作を象徴的に表していると感じられるのではないでしょうか。日本語では「ぺちゃくちゃしゃべる」になります。また鳥などが「ピーピー鳴く」「ピーチク鳴く」にも使われます。

このように擬声語、擬態語は韓日両国とも表現が非常に豊かで、韓国語は日本語よりもさらに多く、世界の言語でいちばん多いとされています。韓国では擬声語、擬態語が日本

よりなぜ多いのか、その理由は、たとえば日本語で「ごろごろ」と表記しますと、

「雷がごろごろ鳴った」→韓国語では「ウルルンウルルン 우르릉우르릉」

「休日は家でごろごろする」→韓国語では「ドゥィングルドゥィングル 뒹굴뒹굴」

「おなかがごろごろする」→韓国語では「クルルックククルルック 꾸르륵꾸르륵」

「大きな石がごろごろ落ちてくる」→韓国語では「デグルデグル 데굴데굴」

というように、日本語では一つの「ごろごろ」で多様な描写に使われます。でも、韓国語では例示しましたように、表現がすべて異なっています。

また、韓国語での「笑い」の描写で例示しますと、年齢や性別によって擬音語、擬態語の表現が異なってきます。つまり、それだけ表現の数が多くなるわけです。日本語では年齢、性別に関係なく「くすくす」も「げらげら」も使いますが、韓国語では、赤ちゃんが「にこにこ笑う」ときには、

「방긋방긋」（パングッパングッ）です。

成人の「にこにこ」には使いません。成人は、「싱글벙글」（シングルボングル）、あるいは「생글생글」（セングルセングル）です。


また、「くすくす」には、次のような表現があります。

「낄낄」（キィルキィル）。

ただし、声をひそめて、そっと笑う様子を表現しています。そのため、若い男女の笑い方に使います。

「킥킥」（キッキッ）。

この場合は、我慢できずに「くすくす」笑うときに使います。

「깔깔」（カァルカァル）。

主に女性が楽しそうに笑うときに使います。

「껄껄」（コォルコォル）。

このように笑いが表現されていましたら、その人物は子どもでも、女性でもなく、おじさんたちです。

笑いに対する表現が韓国は日本より、かなり多様であることがわかります。

韓日両国の多種多様な擬声語（擬音語）、擬態語を少し比較してみましたが、心理的、内面的なイメージと強く結びついた表現であるため、外国人にはなかなか理解が難しく、使いこなせない表現手法です。

たとえば、「お寺の鐘がゴーンと鳴る」と表現されても、受け手のイメージは誰もが同じとは限りません。また、その鐘が昼間、夕方、深夜など、鳴った時刻によっても喚起《かんき》されるイメージは異なってきます。擬声語（擬音語）・擬態語は私には難物だとすでに述べましたが、こうした複雑な要素も絡んできますから理解難度を高めているように思います。ましてや、それを使いこなすためには、さらに難度が高くなるのは言うまでもありません。また、擬声語（擬音語）・擬態語も言葉ですから、よく使われていたのに、やがて使われなくなるということも起きます。

こうした状況の変化は、韓日両国で共通しています。大きな変化は、携帯電話や電子レンジを始めとする電子音や人工音の氾濫《はんらん》です。それに反比例するように日常生活での自然との繋がり、触れあいの希薄化《きはくか》が起きています。

五〇年前、三〇年前、そして現在、それぞれの時代で使われていた、あるいは、使われ続けている擬声語（擬音語）・擬態語を比較してみると興味深い、ひょっとすると驚くべき変化が起きていることに気づかされるかもしれません。

5 韓国語の方言

「日本の大学で教えている韓国語は実は方言なのです」と言ったらびっくりするかもしれません。現在、韓国で標準語とされて、使われている言葉はソウルを中心とした地域の方言なのです。このソウル方言は京畿道《キョンギド》（경기도　けいきどう）という地域の言葉が下敷きになっています。

日本の標準語も明治三〇年代に入ってから標準語を定める動きが活発となり、東京の中流階級の人びとが使っていた言葉が基《もと》になっているとのことです。その意味では韓国と似ています。

この方言を韓国語では「サトゥリ」（사투리）、あるいは「バンオン」（방언）と言います。「사투리《サトゥリ》」には漢字はありませんが、「방언《バンオン》」は漢字にすると、「方言」です。どちらも使いますが、「사투리」の方が多く使われています。

では、韓国にはどのくらいの方言があるのでしょうか。

日本は自治体として、四七都道府県（東京都　北海道　大阪府　京都府　そのほかは県）に分けられていますが、韓国では京畿道《キョンギド》、江原道《カンウォンド》、忠清北道《チュンチョンブックド》、忠清南道《チュンチョンナムド》、慶尚北道《キョンサンブックド》、慶尚南道《キョンサンナムド》、全羅北道《チョルラブックド》、全羅南道《チョルラナムド》の八道と一特別自治道（済州島《チェジュド》）、一特別市（ソウル）、六広域市（釜山《プサン》・大邱《テグ》・仁川《インチョン》・光州《クァンジュ》・大田《テジョン》・蔚山《ウルサン》）に分けられています。

日本より国土は狭い（日本は韓国の国土面積の三・八倍）のですが、それでも大まかな区別で、およそ六つの地域にそれぞれの方言があるとされています。

韓国人が方言について説明する場合、研究者的な厳密な考え方には立たず、だいたいこの自治体の区分を頭に描いて、その特徴を示すのが一般的です。言葉は人間が使うものなので、人間の移動と定着の度合いや言葉そのものの移動や伝播《でんぱ》などで、広がったり狭まったりします。さらに長い時間をかけて言葉の意味が変わっていくこともあります。そのため、その方言が使われている地域の明確な線引きはなかなか難しいと言えます。したがって、私の説明もあくまでも「おおよそのところは」ということになります。

○ 京畿道《キョンギド》（경기도　けいきどう）

韓国の地図で言えば、朝鮮民主主義人民共和国（北朝鮮）と接する、韓国ではもっとも北の西側の地域で、行政的には特別市となっているソウル（서울）も含まれます。つまり、標準語とされる韓国語の基になった「京畿道方言」と呼ばれる地域です。

京畿道は三国時代（紀元前五七～九三五年）からすでに政治的にはとても重要な場所となっていて、いくつもの王朝がこの地域に首府《しゅふ》を置き、歴史的にも長く中心的な場所として存在してきています。現在、ソウルが韓国の首都になっているのも理解できます。

そのため言葉の統一、標準化をする際に、この地域の方言が下敷きにされたのも頷《うなず》けます。

標準語の基になっていますから、多くの韓国人にも、もちろん外国人の韓国語学習者にもこの地域の方言にはあまり違和感はないと思います。たとえば、私が韓国の他の地域の人から何度か言われたのは、「ソウル子の喋りは女性らしくて柔らかいので憧れる」というものでした。

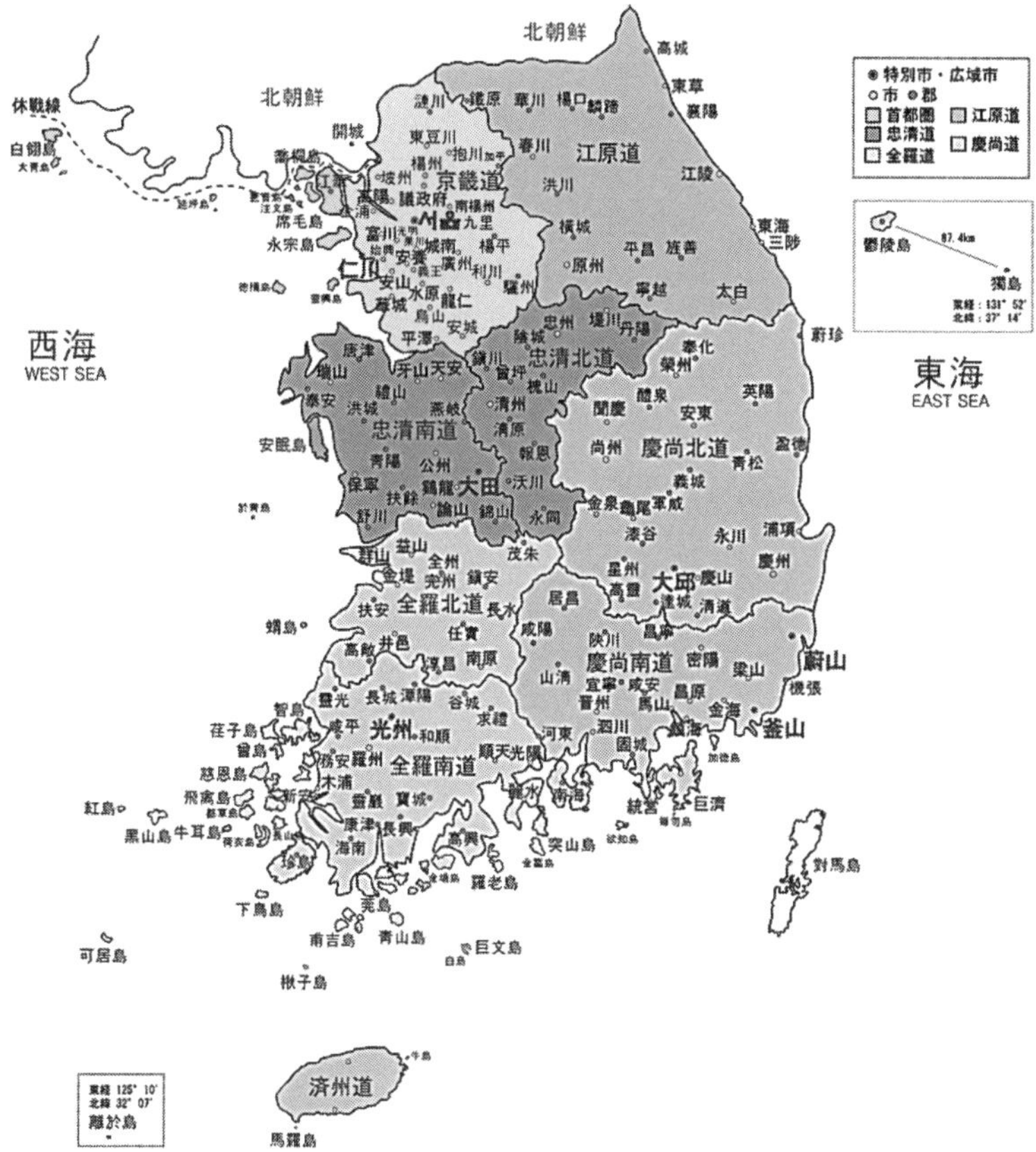
北朝鮮
北朝鮮
休戦線
白翎島
大青島
開城
席毛島
永宗島
仁川
西海
WEST SEA
安眠島
蝟島
荏子島
慈恩島
飛禽島
紅島
黒山島
牛耳島
珍島
下島島
可居島
南吉島
青山島
巨文島
白島
椒子島
済州道
牛島
馬羅島
東經 125° 10'
北緯 32° 07'
離於島
高城
束草
襄陽
江陵
東海
三陟
太白
寧越
平昌
旌善
原州
横城
洪川
春川
華川
楊口
麟蹄
鐵原
漣川
東豆川
抱川
加平
楊州
坡州
京畿道
江原道
議政府
南楊州
高陽
金浦
富川
九里
楊平
城南
廣州
利川
驪州
安養
安山
水原
龍仁
華城
烏山
安城
平澤
唐津
牙山
天安
瑞山
泰安
洪城
禮山
燕岐
忠清南道
青陽
公州
大田
保寧
扶餘
鶏龍
論山
錦山
舒川
鎭川
陰城
忠州
堤川
丹陽
忠清北道
曾坪
槐山
清州
清原
報恩
沃川
永同
蔚珍
奉化
榮州
英陽
醴泉
安東
聞慶
尚州
慶尚北道
盈徳
青松
義城
金泉
亀尾
軍威
漆谷
永川
浦項
慶州
星州
高霊
大邱
慶山
清道
達城
居昌
咸陽
陜川
昌寧
密陽
梁山
蔚山
機張
慶尚南道
山清
宜寧
咸安
晋州
馬山
昌原
金海
釜山
河東
泗川
固城
鎭海
統営
巨濟
南海
突山島
加徳島
群山
益山
全州
金堤
完州
鎭安
扶安
全羅北道
長水
茂朱
高敞
井邑
任實
淳昌
南原
霊光
長城
潭陽
谷城
求禮
咸平
光州
和順
務安
羅州
全羅南道
順天
光陽
木浦
新安
麗水
霊巌
寶城
康津
長興
海南
高興
莞島
羅老島
對馬島
東海
EAST SEA
鬱陵島
87.4km
獨島
東經：131° 52'
北緯：37° 14'
特別市・広域市
市
郡
首都圏
江原道
忠清道
慶尚道
全羅道

○ 江原道《カンウォンド》 (강원도　こうげんどう)

京畿道の横に接する東側地域で東海（日本海）に面していて全体的に山間部が多く、韓国では寒さが厳しい地方として知られています。積雪量が多く、二〇一八年二月には冬期オリンピック・パラリンピックが平昌《ピョンチャン》（평창）で開催されました。

韓国語でよく使われる語尾の一つの「요（ヨ）」が省略されることが多いのが特徴です。これはあくまでも私の感覚ですが、言葉足らずの印象を受けます。

ついでに言いますと、日本でもすっかり馴染まれている「チヂミ」（지짐이）という韓国料理があります。お好み焼きに似ていますが、この「チヂミ」、韓国では一般的に「チョン」（전）、あるいは「プチムゲ」（부침개）と呼ばれます。それがなぜか日本では「チヂミ」で定着していますが、実は江原道の方言なのです。日本で韓国語の方言がしっかり定着しているなんて、とても面白い現象だと思っています。

○ 忠清道《チュンチョンド》 (충청도　ちゅうせいどう)

自治体としては、忠清南道（충청남도　ちゅうせいなんどう）と忠清北道（충청북도　ちゅうせいほくどう）の二つに分かれていますが、方言的には一地域と見なします。北は京

畿道と江原道に接しており、東（日本海側）は慶尚北道（경상북도　けいしょうほくどう）、南は全羅北道（전라북도　ぜんらほくどう）と接していて、韓国の中央部になります。そのため行政区では「忠清北道」と呼ばれる地域は、海と接していない韓国では唯一の地域で、山間部が多く、内陸気候のため、寒暖の差が大きい地域です。

方言としては、忠清道方言は「しゃべり方がゆっくり」とされていますが、これは海側の「忠清南道」地域に多く、山間部の「忠清北道」地域では、もう少しきびきびとした話し方をします。

これは私の経験、感覚だけでなく、広く認識されているのは、忠清道地域では標準語の語尾「ヨ」（요）が「ユ」（유）になります。

忠清道の人たちがゆっくりしゃべるたとえとして、韓国人なら誰でもが知っている笑い話を一つ紹介します。

息子が山から岩が落ちてくるのに気がつき、「お父さん、山から岩が落ちてくる」と教えたのですが、あまりにゆっくり話したために、お父さんは岩の下敷きになってしまった、というものです。

○　慶尚道《キョンサンド》（경상도　けいしょうどう）

ここも自治体としては、慶尚北道（경상북도　けいしょうほくどう）と、慶尚南道（경상남도　けいしょうなんどう）に分かれますが、方言としては一地域と見なします。

東は東海（日本海）に面し、北に江原道があります。西は忠清北道、全羅北道に接しています。南の慶尚南道は韓国でもっとも暑い地域で、日本の方にも馴染みのある釜山《プサン》（부산）があります。韓国語を多少、学んだことのある人ならこの地域の人が話す言葉がプツプツと切るように、しかも早口なのに気づかれたことでしょう。イントネーションも韓国語ではいちばん激しいと思います。

たとえ標準語で話していても、韓国語はきつい感じがする、と私などはよく日本の方から言われるのですが、慶尚道地域の方言での会話を耳にしたら、喧嘩をしていると勘違いするかもしれません。

発音の違いでは、標準語の「慶尚道《キョンサンド》」（경상도）が、慶尚道地域では「ケンサンド」（갱상도）となります。また日本の「東京」を漢字音読みすると、標準語では「トンギョン」（동경）ですが、慶尚道地域では「トンゲン」（동갱）と発音します。もっとも最近は、「東京」はそのまま「トキョ」（도쿄）という発音が一般的になっています。

○ 全羅道《チョルラド》（전라도　ぜんらどう）

ここも行政区としては全羅北道（전라북도　ぜんらほくどう）と全羅南道（전라남도　ぜんらなんどう）に分かれています。韓国の南西部に位置した、この二つの行政地区は北と南で接しています。この地域は平野が多く、穀倉《こくそう》地帯であり、海産物が豊富に採れる地域としても知られています。

全羅道方言で特徴的なのは、日本語にすれば「え～」「あの～」に近い「コシギ」（거시기）という言い方が言葉の間によく入ることです。この地域の人からは怒られるかもしれませんが、私などには耳障りに感じる話し方です。

そのほか語尾に「イン」（잉）が良くつきます。韓国語で「ありがとう」は「カムサハムニダ」（감사합니다）のほかに「コマウォヨ」（고마워요）と言いますが、全羅道方言では「コマウォイン」（고마워잉）となります。さらに標準語の語尾によく使われる「ヨ」（요）の代わりに「ビョ」（벼）、「ランケ」（랑께）がつきます。

○ 済州島《チェジュド》（제주도　さいしゅうとう）

済州島は韓国の最南端に位置する楕円形《だえんけい》の、韓国では最大の島です。日本の沖縄より大きく、大阪府とほぼ同じ広さです。済州島は日本にも近く、長崎県の五島列島まで、わずか一八〇kmほどですから、東京から浜松あたりまでの距離です。周囲を海で囲まれていて、暖流の対馬海流が流れているため、韓国でいちばん気候が温暖です。そのため、韓国で唯一のミカンの産地となっています。

済州島の方言は標準語とは言葉そのものも違いますし、文法的にも異なっていて、済州島方言だけで話す人と会話を成立させるためには通訳が必要です。

済州島の方言が標準語といかに違うのか話題にする際、韓国人なら誰でも知っている言葉があります。

済州島方言の「ホンヂョオプソイェ」(혼저옵서예)がそれです。済州島方言では「いらっしゃいませ」「ようこそ」の意味ですが、この発音が標準語の「ホンザオセヨ」(혼자오세요)に聞こえて、「一人で来てください」という意味になってしまうという笑い話です。

このように済州島の方言は、これまで述べてきた五つの地域の方言とは根本的に違っています。その大きな理由は、地形にあります。他の五つの地域はすべて陸続きですから、長い歴史の積み重ねの中で、互いに言葉の交流もあったはずです。しかし、済州島は海に囲まれた島ですから、言葉の交流が少なく、独自の表現が生き続けてきたからです。

最後に韓国語の「こんにちは」を六つの地域の方言で発音するとどうなるのか、紹介しておきます。

先ずは韓国語の標準語を形成した京畿道方言です。

「안녕하세요?」（アンニョンハセヨ）

以下続けて

「안녕하시까?」（アンニョンハシカ）　→江原道

「안녕하세유?」（アンニョンハセユ）　→忠清道

「안녕하셨지라?」（アンニョンハショッチラ）　→全羅道

「안녕하십니꺼?」（アンニョンハシムニコ）　→慶尚道

「펜안 하우꽈?」（ペナン　ハウクァ）　→済州島

となります。

6　ああ複雑――家族の呼び方

核家族と呼ばれるのは「夫婦とその子供だけ」「夫婦だけ」「父子あるいは母子」だけで構成される家庭のことを言います。日本の核家族世帯は、二〇〇五年頃にすでに日本の世帯の八〇％以上に達していました。しかも日本では、今や核家族から単家族、つまり一人世帯に移行しつつあるとまで言われ始めています。

一方、韓国はテレビドラマなどを通してみる家庭では、夫婦とその子どもだけでなく、夫と妻のそれぞれの親、兄弟姉妹、さらには祖父母、甥や姪まで登場することがよくあります。でも実際には、日本と同様に核家族化が進んでいて、二〇一〇年頃には核家族形態が八〇％を超えていました。

ただ、日本と異なるのは、家族、あるいは一族のつながりが、まだかなり濃密なことです。精神的なつながりは言うまでもなく、経済的にもお互いに支え合おうとします。ですから、何か事が起きれば、やや大げさに言うと、親戚中に知れ渡って、一族郎党が集まるなどということも珍しくありません。日本でこうしたことが起きるとすれば、身内の結婚式やお葬式のときぐらいでしょうか。

一族の繋がりが濃密なことを証明するのが、韓国で二大国民的行事となっている「正月《ソルラル》」（설날）と「秋夕《チュソク》」（추석）です。どちらも旧暦で行われますから、「正月」は太陽暦の二月頃ですし、「秋夕」は九月頃です。「秋夕」は一年の収穫と健康を先祖に感謝する行事で、日本では中秋のお月見をする時期と重なります。

この二大国民的行事では、当日を挟んで三日間が祝日と国が定めているほどですから、韓国人にとって、いかに大きな行事であるのかがわかると思います。そのため、普段は離れて生活していても、このときばかりは家族と過ごすため、多くの韓国人に民族大移動（帰省）が起こります。両親の兄弟や自分の兄弟姉妹が多ければ、それだけ集まる人が多くなりますし、身内で結婚している者がいれば、さらに人数は増えます。

そして、日本でもかつてはそうだったようですが、結婚した女性は夫の家の家族の一員となりますから、「帰省」と言えば、夫の実家に行くことになります。この二大国民的行事のときに既婚の女性が自分の実家に「帰省」することは、特別な場合を除いてありません。この「嫁」の立場にある女性には、「ソルラル」（正月）と「チュソク」（秋夕）は精神的、肉体的疲労がかなり重なることになります。

「嫁」の立場で「帰省」すれば、多くの親戚の人たちと、顔を合わせ、いやでも話をすることになります。そのとき相手をどのように呼ぶのか（呼びかけるのか）で頭を悩ませることになります。何よりも相手が一族の中でどのような人間的繋がりであるのかを知らないと、相手に違和感を与えずに、声を掛けることは難しくなります。それと言うのも、家人の呼び方が日本よりずっと複雑だからです。

もし日本人の女性の方が韓国人の男性と結婚した場合には、相手の呼び方（呼びかけ方）はかなり難物になるはずです。韓国人の私でもときどき親戚の相手をどう呼んだらいいのかわからなくなるほどですから。

日本はその意味では、とても簡単です。夫の両親は「お父さん・お母さん」、夫の兄弟は自分より年上であれば「お兄さん・お姉さん」、年下であれば、名前で呼べばいいでしょうし、甥・姪も名前で呼べば済みます。両親の親がいても「お爺さん（ちゃん）・お婆さん（ちゃん）」で問題ありません。

でも、韓国ではそれでは済みません。それだけに呼びかけ方を聞いただけで、相手の人がどのような人間関係に位置する人かがわかります。日本でも「お父さん・お母さん」と書いたり、「お義父さん・お義母さん」と書いたりします。これですと前者が実父・実母、後者が義理の父・母とわかります。ただし、どちらも発音すれば「おとうさん・おかあさん」ですから、音だけでは判断つきません。

韓国も日本と同様に核家族化が進んでいることは冒頭に触れました。そこで、ここでは核家族のなかでの相手の呼び方だけに止めて、紹介することにします。

それでも日本よりずっと複雑なことがわかっていただけるでしょう。夫と妻、そして子どもは、上は男の子、下は女の子という家庭を想定してみます。先ずは夫婦の間での呼び方です。

◆妻が夫に呼びかける場合

一般的なのが、「ヨボ 여보」か「タンシン 당신」です。日本語の「あなた」でしょうか。ただし「タンシン」は使い方(言い方)によっては、日本語なら「あんた」となって喧嘩のときなどにも使いますから要注意です。夫を立てて呼ぶときには「ソバンニム 서방님」で、「旦那様」になるでしょうか。ちょっと時代劇ぽいですが、現在でも使わないわけではありません。最近は〝友だち夫婦〟のようなつながりからか、通常は年上の親しい

男性を指す「오빠 オッパ」を結婚後も使う女性が増えています。

◆妻が夫以外の人に夫のことを言う場合

「ナムピョン 남편」。これは「夫」の意味ですから、日本でも「夫が〜」と奥さんたちがよく言いますので、同じ使い方です。「シルラン 신랑」。これは漢字で表記すれば「新郎」です。日本では結婚式のときに夫となる男性をこのように呼びますが、日常生活では使いません。でも、韓国では、中年ぐらいまでの奥さんなら使います。そのほかには「パカンニャンバン 바깥양반」や「クイ 그이」などとも言います。

ところが、子どもがいる場合には、「エアッパ 애아빠」という言い方をすることが多くなります。「子どものお父さん」といったニュアンスです。さらに親に向かって言う場合（義理の両親も含めて）は、「애아빠 エアッパ（またはエアボム 애아범）」「クイ 그이」となります。

◆夫が妻に呼びかける場合

これは妻が夫に呼びかけるときと同じで「ヨボ 여보」か「タンシン 당신」です。

◆夫が妻以外の人に妻のことを言う場合

「アンサラㇺ 안사람」。「アン」は「内」、「サラㇺ」は「人」の意味ですから、日本と同じで「うちの妻が〜」などと使います。「チプサラㇺ 집사람」もよく使います。「チプ 집」は「家」、「サラㇺ 사람」は「人」の意味ですから、日本で「家内」と呼ぶのとよく似ています。「ワイプ 와이프」は英語の「wife（ワイフ）」を韓国語の発音にした言い方です。日本の男性が使っているのを耳にしたことがありますが、韓国では、あまり多くありません。そのほか「アネ 아내」や「チョ 처」などとも言います。

ただし、実際の会話では、自分が使う言い方（どの呼称でも）の前に「ヂェ 제」あるいは「ウリ 우리」をつけます。「私の」という意味で、日本でも「うちの夫」「うちの妻」などと言いますから同じです。でも、日本語と異なるのは、相手が目上の人だった場合は「ヂェ」で、同等か目下の人には「ウリ」というように使い分けがあって、言い方を間違えると常識を疑われてしまいます。

また、子どもがいて、妻のことを言う場合は「○○엄마 ○○オンマ」と○○に子どもの名前を入れて、「○○のお母さん」と言います。また両親（義理の両親も含みます）に向かっては、「チプサラㇺ 집사람」「エオンマ 애엄마（またはエオモムン 애어멈）」と言います。

◆両親が子どもに声を掛ける場合

たいてい名前で呼びますから、これは日本と同じです。

また、他人に自分の子どものことを言う場合は、「자식 チャシク（せがれ）」「아들 アドゥル（息子）」「딸 タル（娘）」と言います。日本で「せがれが～」「息子が～」「娘が～」と言うのとよく似ています。ただし、実際の会話では、やはり「私の」という意味の「ヂェ 제」あるいは「ウリ 우리」を前につけます。

◆子どもから両親や他の人に呼び掛ける場合

父 「アボジ　아버지」、あるいは「アッパ　아빠」
母 「オモニ　어머니」、あるいは「オンマ　엄마」
妹 「ヨドンセン　여동생」（上の男の子から妹へ）
兄 「オッパ　오빠」（下の女の子から兄へ）
父の父 「ハラボジ　할아버지」
父の母 「ハルモニ　할머니」
母の父 「ウェハラボジ　외할아버지」

母の母　「ウェハルモニ　외할머니」

日本では、父方も母方もどちらも「お爺ちゃん」「お婆ちゃん」で問題ありませんが、韓国では、すべて異なった言い方になります。

◆妻が夫の両親を言う場合

夫の父（舅）のことは、「シアボジ　시아버지」と言います。ただし、直接の呼び掛けには「アボニム」（아버님）と言います。

夫の母（姑）のことは、「シオモニ　시어머니」ですが、やはり直接の呼び掛けには「オモニム」（어머님）と言います。

◆夫が妻の両親を言う場合

妻の父は「チャンイン」（장인）。ただし、直接呼び掛けるときには、「チャンインオルン」（장인어른）と言います。

妻の母は「チャンモ」（장모）。ただし、直接呼び掛けるときには、「チャンモニム」（장모님）と言います。

日本では、そのまま「妻の父」「妻の母」と言う人が多いのは、ほかには「義父《ちち》」「義母《はは》」しかないからなのでしょう。

核家族内の呼び方だけでしたら、ここで紹介した程度で済みます。でも、実際に生活すると、親戚つき合いは日本のようにあっさりしていませんから、多くの関係者（身内の人）とつき合うことになります。それだけ異なる呼称があるため、自分の立場をよく知っておく必要があります。

このように身内の呼称が多いにもかかわらず、夫を「ソバンニム」（서방님）と呼ぶ一方で、結婚している義弟《ぎてい》も「ソバンニム」（서방님）と呼ぶように、家族の者同士の呼び方や呼びかけ方はとにかく複雑です。

韓国人の私でもわからなくなることがありますから、外国の方が混乱するのは当然、とあらためて思わずにいられません。

7　漢字（漢文）のゆくえ

現在、韓国の使用文字がハングル（한글）であることは、日本でもよく知られています。しかし、いつ漢文が、そして漢字が韓国から消えたのか、と質問されますと、私を含めて、多くの韓国人はおそらく明確に答えられないでしょう。

韓国を旅行すればすぐ気がつきますが、街はどこもハングルで溢れ、漢字を目にする機会は、そう多くありません。でも、漢字が完全に消滅したわけではありません。

一方で、私の勤務先に毎年、韓国と中国から留学生が来ますが、日本語を学ぶ上で、中国人留学生と比較して、韓国からの留学生には大きなハンデがあります。それは漢字の理解力がないからです。韓国の若者たちは生まれたときから漢字とは無縁で、自分の姓名でさえ、漢字で書けない人もいます。

ただし、日本の植民地支配から解放された一九四五年以降生まれで、一定以上の年齢の韓国人は、たとえ日本語や中国語が理解できなくても、日本人や中国人とある程度の意思疎通が筆談によって可能だと言われています。実際、私も身近にそれを実践されている方を知っています。こうした世代の韓国人はハングルだけでなく、漢字教育も受けていて、生活の中に漢字や漢文が溶け込んでいたからなのです。

漢字や漢文を理解しない韓国人が大半を占めるようになったのは、朴正煕《パクチョンヒ》（박정희）韓国第五代大統領が一九七〇年に学校での漢字教育を廃止してからのことです。日本の植民地時代に普及していたハングルと漢字併用の国語を完全に純化するための措置でした。ですから、それ以降の子どもは漢字が理解できなくなり、韓国ではハングル世代（한글세대）と呼ばれるようになりました。

でも、実際には漢字は消えませんでした。最近は親が個人的に漢字教育をしたり（塾もあります）、自治体によっては、初等教育での漢字教育を義務化したりしているところもあるからです。さらに就職する際、漢字能力が評価される場合もありますから、漢字読解能力を持つことは、決して不都合ではありません。

ところで一五世紀半ばまで、朝鮮半島（韓国では「韓半島」と呼ぶ）では、ほんの一部の知識人たちが漢字で朝鮮語を表記する以外、一般の人びとは文盲でした。つまり、自分の話す言葉を表記する文字を持っていなかったのです。

そのため、朝鮮王朝時代の第四代国王だった世宗《セゾン》（세종 一三九七～一四五〇）は、中国の文字である漢字ではなく、自国の文字の創出を推進し、世宗二八年（一四四六）にハングルについての解説書『訓民正音《くんみんせいおん》』（フンミンジョンウム　훈민정음）を刊行しました。『訓民正音』とは「民を訓《おし》える正しい音」という意味です。

「正しい字」としないで「正しい音」とした理由は、漢文化を否定し、漢字を排斥《はいせき》するかのような文字の制定に漢字擁護派が強く反対したからでした。世宗大王は反対派を抑《おさ》え込む便法として、ハングルは「文字ではない」、つまり、漢文化を否定するものではなく、漢字を知らない者に朝鮮語の音の表記を教える記号にすぎない、と説得したと言われています。

でも、その後、ハングルは順調に一般の人びとに受け入れられ、浸透していきませんでした。知識人の間で使われたり、国家事業として仏典の翻訳、儒教関連書の翻訳、中国語やモンゴル語、日本語の学習書などにハングルが使用される程度でした。なぜなら、朝鮮は何事も中国の強い影響下に置かれ、文字も漢字が重んじられ、公文書はすべて漢文が使

われていたからでした。それはかりか朝鮮王朝時代の第一〇代国王の燕山君《ヨンサングン》（연산군 一四七六〜一五〇六）の時代には、ハングルを使う人びとが弾圧されたほどでした。

こうしてハングルは三五〇年以上にわたって正統ではない文字として命を永らえ、ようやく光が当てられたのは、日本の明治維新に強い関心を寄せた「開化派」（別称、独立党）の人びとの活動が活発になり始めてからでした。

そして、このハングルについては日本人の関与も忘れてはならないでしょう。福沢諭吉は朝鮮が中国（清国）との隷属《れいぞく》関係を断ち切るために朝鮮の独立を唱えていました。日本の強い影響力を及ぼそうとするもくろみがあったからです。福沢は朝鮮人を教育し、知識を広めるためには識字率を上げる必要があり、朝鮮語の新聞発行が有効な手段だと考えていました。

この福沢の意志を受け継いだのが井上角五郎《いのうえかくごろう》（一八六〇〜一九三八）でした。彼は政府の公報、社会事情、国外事情、経済情報などを掲載する『漢城旬報《かんじょうじゅんぽう》』（ハンソンスンボ 한성순보）を一八八三年（明治一六年）一〇月三〇日に創刊しました。朝鮮で発行された最初の近代的な新聞で、「旬報」ですので一〇日に一回発行されました。計画では、ハングルも使う予定でしたが、漢字こそ正式な文字だとする保守勢力に妥協して、すべて漢文表

記でした。

でも、井上にはハングルへの強い思いがあり、『漢城旬報』がおよそ一年後の一八八四年一二月に甲申政変《こうしんせいへん》（カップシンジョンビョン　갑신정변）で廃刊（全三六号）に追い込まれると、一八八六年（明治一九年）一月二五日に開化派と協力して『漢城周報《かんじょうしゅうほう》』（ハンソンジュボ　한성주보）の発行にこぎつけ、ハングルによる朝鮮での最初の週刊新聞となりました（一八八八年七月七日廃刊）。

ハングル普及に日本人が大きく関わっていたことはなかなか興味深いのですが、こうした人びとのハングル普及の努力は、一般庶民にまでは浸透しませんでした。発行元の博文局が経営不振《ふしん》で『漢城周報』もわずか二年半で廃刊に追い込まれてしまいました。当時は啓蒙、広報、宣伝などの機能を持つ新聞に関心を抱く人はごく少数で、ましてやハングルを採用した新聞では、漢文こそ正式な表記と認識していた多くの知識人から軽視されたことは想像に難くありません。

当時、ハングルは「諺文《げんぶん》」（オンムン　언문）と呼ばれていました。「諺」は日本語では「ことわざ」とも読みますし、もともと「俗語」という意味があります。あくまでも中国の文字で綴られた漢文が正統と考えられていた朝鮮では、ハングルは「俗語」とみられて

いたのです。

日本の「かな文字」が「仮名」と漢字表記されるのは、あくまでも正統からはずれた「仮り」あるいは「本筋ではない」表記と考えられ、女性や子どもが使う文字と見られていたのに似ていると思います。そのため「諺文」のほかに「女文字」（アムクル　암클）、「子ども文字」（アヘックル　아햇글）などと呼ばれることもありました。

『漢城周報』廃刊から八年後の一八九六年に漢文を採用せず、ハングルだけの新聞『独立新聞』（독립신문）が徐載弼《ソジェピル》（서재필）と開化派によって発行され、創刊時には英文での記事も掲載するなど、立憲君主制、教育の振興、工業育成といった主張を展開していきました。この新聞はハングルの分かち書きを取り入れて、よりわかりやすいハングルへの実践が試みられていました。しかし、この新聞も長続きせず一八九九年には廃刊となりました。

ハングルは朝鮮王朝時代の最後の国王（第二七代純宗《スンゾン》（순종　一八七四〜一九二六））に至ってもなお陰の存在でした。それでも金弘集《キムホンジプ》（김홍집）によって進められた国政改革の「甲午改革《こうごかいかく》」（カボゲヨク　갑오개혁　一八九四年七月〜九六年二月）では、封建的身分制の廃止、科挙の廃止、銀本位制採用、度量衡の統一、身分差別撤廃などの改革が行われ、政府の公

式文書はハングルを使用すると定められました。残念ながら金弘集の改革はあっけなくつぶされてしまい、ハングルはまたもや日陰の存在となってしまいました。

その後、ハングルに強い光を与えたのは言語学者の周時経《チュシギョン》（주시경 一八七六〜一九一四）でした。彼は先述した朝鮮で初めてのハングル新聞「独立新聞」の校正係となったことをきっかけに、ハングル普及に力を注ぎ、一九〇六年に『大韓国語文法』、一九〇八年に『国語文典音学』を出版しました。一説では「ハングル」という呼称は周時経が名付け親だとも言われています。「ハン」は「偉大な」、「グル」は「文字」だという説と「ハン」は「韓」だという説もあります。

この周時経の努力は皮肉なことに一九一〇年から朝鮮半島を植民地とした日本帝国の朝鮮総督府に受け継がれました。学校教育ではハングルと漢字の混じった朝鮮語が必修科目となり、ハングルの普及に貢献することになりました。しかし、一方で日本帝国は日本語を「国語」として教え始めたのでした。

日本統治時代、朝鮮半島では、ハングルが朝鮮民族の文字と人びとに認識され、識字率も上がっていきましたが、この時代もハングル第一主義を貫くことはできなかったと言えます。

一九四八年に「大韓民国」（韓国）が建国されますと、李承晩《イスンマン》（이승만）初代大統領によって、すぐさま「ハングル専用法」が制定されました。日本の植民地統治から解放されて、新しい国家が誕生したわけですから、使用文字が朝鮮民族の文字であるハングルと定められたのは当然でした。でも、この「専用法」では、公文書はハングル表記とする、としながら、しばらくは漢字を括弧に入れて使用してもよいとされていました。また、学校でも漢字教育が維持されていました。ですから、当時の韓国では、依然として漢字や漢文の知識や運用能力に優れた人びとが多く存在していました。政府も漢字使用を禁止せずに、ハングルと漢字の併用を認めていました。

冒頭に書きましたように、一九七〇年に朴正熙大統領によって、まず学校から漢字教育が廃止されてからは年々、漢字を理解する者が減少を続け、一九九〇年代後半になると、漢字使用の存続を主張していた新聞社までが漢字を次第に採用しなくなっていきました。

こうして韓国から漢字表記がほとんど姿を消し、現在に至っているのです。ようやく朝鮮民族みずからが創出したハングルが一人歩きを始め、自国の文字表現形式を完全に手にしたことは当然とはいえ、喜ばしいことだと思います。

ただし、漢字の知識や漢文の素養が完全に失われてよいのか、という疑念《ぎねん》が韓国内にあることは冒頭に記したとおりです。

「伝記」「電気」「前期」と漢字で表記されていれば、日本の方はこれらの文字の意味はわかりますし、なぜそれぞれ異なる漢字が用いられているのか、文字を見て理解もできます。でも、韓国では三つとも「전기」（チョンギ）という同じハングル表記になります。前後の文章を読んだり、聞いたりしないかぎり意味はわかりません。

また、一九七〇年以前にはハングルと漢字が混用された書物が多く刊行されています。そして、高等教育を受けている大学生などは、やや高度な専門書なども時代を遡って目を通さなければならない場合もあるはずです。ところが、一九七〇年以降、ハングルだけの教育を受けている人が次第に増えて、日常的にも漢字にほとんど触れる機会が失われた一九九〇年代前後になりますと、もはや一九七〇年以前刊行の書物や資料を理解できない韓国人が多数となり始めています。

さらには漢字に込められた抽象性の高い概念が理解できないため、ハングルだけでは論理的思考が深められない場合も時として出てきます。

一九七〇年以降、韓国の歴代政府が目指してきたハングルの純化政策と、そこに露呈してきているマイナス面を巡って、韓国では漢字復権論者とハングル重視論者との間で、さまざまな意見が戦わされてきています。おそらく両者の論争は今後も続くと思われますが、日本で漢字を学んだ韓国人として、今後の動きには大きな関心を寄せています。

8　身体の一部を使った韓国語の表現

私たちが日常使う言葉には、なにげなく身体の一部を使って表現するものがあります。身近で親しみがあり、理解されやすいということから、使われるようになったのでしょう。それだけに、こうした表現は民族を超えてあるようです。

たとえば、日本語で「～にする」の「～」に耳、口、目、手を入れますと、「耳にする」は〝聞く〟、「目にする」は〝見る〟、「手にする」は〝持つ〟という意味ですし、「口にする」は〝食べる〟という意味のほかに〝話す〟という別の意味にもなります。

このような表現は韓国語でも古くから使われてきているものが少なくありません。そこで、こうした身体の一部を使った韓国独特の表現を少し紹介します。「少し」と断ったのは、身体の一部を用いた表現は比較的多くあり、しかも、日本語の表現とまったく、あるいはほぼ同じものが少なくないからです。

◆「口」を使った表現

○「입에 발린 소리」（イベ　バルリン　ソリ）

直訳では「口に塗《ぬ》られた音」となります。口に音など塗ることはできませんので、それが「心にもない口先だけの言葉」といった意味になったと私は思っています。日本語でしたら「舌先三寸《したさきさんずん》」とか「歯の浮くような」といった表現に近いかもしれません。その場合、日本語でも「舌」「歯」と身体の一部が使われています。

○「입이 짧다」（イビ　チャルタ）

直訳では「口が短い」です。この表現も日本語にはないように思いますし、似たような表現もないようです。食が細い人や食べることにあまり興味がない人のことです。また食べ物の好き嫌いが激しい人などにも使います。

◆「足」を使った表現

○「발 뻗고 자다」（パル　ポッコ　ジャダ）

直訳では「足をのばして寝る」です。この言い方は日本語にもあって、私なども使います。意味としては、文字通りと言えるでしょう。スペースも十分にあって、足を伸ばしても誰ともぶつからず、ゆったりと寝ることができるといった意味です。

でも、韓国では違った意味になり、日本語で表現すれば、「枕を高くして寝る」です。つまり「心配事がなくなって、安心して眠れる」というときに用いる表現になります。

○「발이 넓다」(バリ ノルタ)

直訳では「足が広い」です。この表現も日本語にはありません。「足が」と「広い」は通常、日本語としては結びつきませんから、変な表現と言えるでしょう。でも、日本の方には「顔が広い」と言えば、通じるだろうと思います。いろいろな人とのつき合いが広く、知り合いが多い人のことを指します。

◆「手」を使った表現

○「손을 씻다」(ソヌル シッタ)

直訳では「手を洗う」です。日本語では言外の意味はありません。ただ、先ほどの「足が広い」と同じですが、「足を洗う」と言えば、日本の方にも通じるだろうと思います。

韓国語では、これまで繰り返してきた悪事（犯罪なども）をやめることを「足を洗う」ではなく、「手を洗う」と言います。

私の単なる感覚ですが、こうした意味で使うなら、日本語の「足を洗う」より韓国語の「手を洗う」の方がいいようにも思います。日本語で「悪に手を染める」などと言いますから、その反対語として、「手を洗う」があってもよいのではないでしょうか。

○「손이 크다」（ソニ　クダ）

直訳では「手が大きい」です。「手を洗う」と同様に日本語ではやはり言外の意味はありません。

韓国語では、お金の使い方が激しい人を意味します。日本語でしたら「お金を湯水のように使う」などと表現するところでしょう。

「金遣いが荒い」という意味で使うときは、もちろん、ほめ言葉ではありません。ただ気前がいい、ケチケチしない人などにも使いますから、批判的な意味だけではありませんので、文脈をしっかり頭に入れながら理解しないと、まったく反対の意味になってしまう恐れもあります。

◆「目」を使った表現

○「눈이 높다」(ヌニ　ノプタ)

直訳では「目が高い」です。この表現、日本語にもあって、しかも、言外の意味が韓国語と似ているようで違っているのを知って、日本語を学び始めた頃、驚いた記憶がありました。日本語でこの表現を使うと、「優れたものを選択したり、見抜いたりできる能力がある」という意味で、相手を褒めるときに「お目が高いですね」などと言います。

でも、韓国語では、優れたもの、水準の高いものだけに目を向ける、つまり「要求水準が高過ぎる」というときに使います。

○「눈에 들다」(ヌネ　トゥルダ)

直訳では「目に入る」です。日本語で「目に入る」と言えば、「見る」「気づく」という意味です。しかし、韓国語では「気に入る」という意味で使われます。これも私の感覚でしかありませんが、韓国語は「目に入る」程度がより深くまで入り込んで、その結果、「気に入る」にまで行き着いた、といった印象があります。

◆「耳」を使った表現

○「귀가 따갑다」(キィガ　タガプタ)

直訳では「耳がちくちく痛い」です。意味は「繰り返し同じ事を言われて、嫌気がさす」です。これと似たような意味を持つのが、

「귀에 못이 박히다」(キィエ　モシ　パッキダ)で、

直訳では「耳に釘が打ちこまれる」となり、いかにも痛そうです。意味は「同じ話を繰り返されて、聞きたくない」といったときに使います。

この二つの表現、日本語での「耳に胼胝《たこ》ができる」に近いでしょう。また、日本語で「耳が痛い」と言えば、「自分の弱点や欠点を正しく批評されたり、言われたりして反論する余地もない」といった意味になりますから、韓国と日本ではかなり異なるようです。

○「귀가 얇다」(キィガ　ヤルタ)

直訳では「耳が薄い」です。では、もう一つ、

「귀가 간지럽다」(キィガ　カンジロップタ)

直訳では「耳がくすぐったい」です。

「耳が薄い」は「優柔不断で、自分では決められない」という意味になりますし、「耳がくすぐったい」は「他人が自分のことを噂している」という意味になります。

◆「鼻」を使った表現

○「내 코가 석자」（ネ　コガ　ソッ クチャ）

直訳では「私の鼻は三尺《さんじゃく》」です。日本語にはないと思います。意味は「自分のことで精一杯」です。他人のことなどとてもかまっていられないというときに使います。

○「코 먹은 소리」（コ　モグン　ソリ）

直訳では「鼻を食べた音」です。「鼻声」をこのように表現します。なかなか面白い表現だと思いますが、なぜこのように言うのか、その理由はわかりません。これも日本語にはないようです。

いかがですか。敢えて日本語の表現と異なる言い方を例として挙げてみました。一方で共通した表現も少なからずあります。それらの共通性を見ることで、両国人の感性上の近《きん》似《じ》性《せい》を探る一つの手法になるかもしれません。

9 社交辞令

私が日本へ来てしばらくの間、大いに〝悩まされ〟〝混乱させられ〟すっかり〝困ってしまった〟のは、日本の生活で日常的に使われる「社交辞令」の類でした。

〝今度、私の家に遊びに来て〟

〝今度、一緒にご飯しましょう〟

〝また、今度ね〟

〝まだ帰らなくてもいいじゃない。もう少し居たら〟

このような会話、今ではすっかりその場限りの「社交辞令」だとわかっていますが、日本語がようやく話せるようになった頃は、言葉そのものを理解するのに全神経が注がれていましたから、話し手の言葉をすべて真正面から受けとめていました。

その結果、言われた言葉を「真に受けてしまった」ために、そのあとの相手の思いがけない反応で頭が混乱し、困ってしまうという経験を何度もしました。

『大辞林』（第三版）には「社交辞令」とは、「世間づきあいを円滑にするために用いる決まり文句」とあります。でも、来日してしばらくの間、私にとってこの「社交辞令」は「世間づきあいを円滑にするため」どころか、人間関係をぎくしゃくさせてしまう言葉でした。確かに『大辞林』には「内実《ないじつ》の伴わない空々《そらぞら》しい言葉」とも説明がついています。今でしたら「空々しさ」も理解できますが、以前は「内実が伴わない」ことなどに考えが及びませんでした。

また、こうした社交辞令と同様に、その場の空気を白々しくさせない表現として、曖昧、あるいは微妙な言葉遣いや遠回しな表現もよく使われることがあります。

これもまたどう受けとめていいのか、大変判断に困るシロモノで、今でも私自身が十分に理解できているのか自信はなく、社交辞令より難しいと思っています。

たとえば、「お察しいたします」「よく考えさせて」「またゆっくり話を聞かせて」「いずれゆっくり」「お話、伺いました」「私にはもったいない話です」等々です。

たぶん相手の要望に応じられないとき、真正面からはっきり断ることで、お互いが気まずくなるのを気遣うからこそ、このように表現されるのだろうと思います。でも、外国人には咄嗟《とっさ》に「イエス」なのか、「ノー」なのか明確に判断できないものばかりです。韓国人でしたら、おそらく「イエス」と理解する場合が多いと思います。

韓国人はおしなべて「イエス」「ノー」をはっきり言い、「好き」「嫌い」も率直に口に出します。もちろん個人差はありますが、日本の方のように「イヤだけれど仕方なく」という行動パターンは比較的少ないと言えます。

よく言われる日本人の「本音と建て前」の違いや曖昧な言葉等から〝日本人は何を考えているのかよくわからない〟という日本人不信感にもつながっていきかねません。でも、これこそ日本という文化的風土から生まれたもので、見方を変えれば、他者との関係に決定的な亀裂《きれつ》を生じさせないためのすぐれた対話手法とも言えるでしょう。

ただし、韓国人にも「本音と建前」を使い分ける場合もあれば、「社交辞令」を言うこともそれほど珍しくはありません。韓日の違いはあくまでも比較上で、と認識しておく必要があると思います。

そのため韓国にも「ピンマル」(빈말)、「インサチレ」(인사치레)という言葉があります。それぞれ「お世辞」「社交辞令」の意味です。

『大辞林』の「社交辞令」の項に「内実の伴わない空々しい言葉」という説明があることは先述しましたが、韓国語の「ピンマル」も「口先だけの言葉、実《じつ》のない言葉」という意味です。また、「インサチレ」は「誠意の薄い、うわべだけの挨拶」という意味です。

韓国のテレビドラマを見ていて、こんなフレーズにぶつかったことはありませんか。

「食事しましたか?」(シックサハショッソヨ? 식사하셨어요?)

偶然、顔見知りの人と外で会ったときなどに使う言葉です。一緒に食事をしましょうと言っているわけではありません。社交辞令なのです。ですから、かりに相手からまだ食事をしていないという返事があっても、親しい人でない限り一緒に食事に行くことはありません。相手もこの言葉には適当に返事をします。

では、次のフレーズはどうでしょう。

「今度また会いましょう」(タウメトマンナヨ　다음에 또 만나요)

韓国語でこのように言われたら、間違いなく聞き流します。男性が分れ際によく使っていますが、「今度、一杯やりましょう」と同様の意味です。日本でもこの言い方は、よく使うようですが、やはり、あまりまともに受け止める人はいません。単なる挨拶言葉に過ぎないのです。

これらは韓国版の「気遣い言葉」で、完璧な「社交辞令」ですから、あまり親しくない人に使います。親しい人にはこうした社交辞令を言わないのは日本と同じでしょう。

もし「今度○○しましょう」と言われたら、特に「今度」という言葉がつけられていたら、それは間違いなく「さようなら」と同義語なのです。「さようなら」だけではなんとなく素っ気なく感じられ、雰囲気を和らげる役割を果たしています。

それにしても「今度（タウメ　다음에）……」という表現は便利な言葉で、言った本人も「今度」がいつなのかなどは考えていません。つまり、当てにならない、大変曖昧な表現で、これも「社交辞令」での決まり文句です。

そのためなのでしょうか、韓国語には「今度」を意味する別の表現があります。「ナジュンエ　나중에」と「イタガ 이따가」がそれです。

「ナジュンエ」の「今度」は、その期限が少し曖昧です。一方の「イタガ」は「のちほど」という意味が強く、ほぼ今日中に、という意味が込められています。ですから、どちらで表現したかで話し手の気持ちが「社交辞令」なのか「本気」なのかが、わかります。

日本語のように「今度」と言われて、どう理解していいのかわからないという迷いは避けられます。もっとも、韓国語にある程度精通し、韓国での生活に慣れないとわからないのは、私の日本での体験と同様でしょう。

あくまでも比較に過ぎませんが、韓国語の方が曖昧さを回避できる場合が多いように思います。これは一般的に白黒をはっきり言う韓国人の民族性とも関連しているのかもしれません。ですから、日本語で「よく考えさせてください」とか「いずれゆっくり」などと返事されますと、なんだかはぐらかされた感じで、〝言いたいことはいつお話しいただけるのですか〟と聞き返したくなります。

そのほか、日本ではあまり使われない「社交辞令」が韓国にはあります。お店での店員とお客との間で交わされる決まり文句です。

日本では「いらっしゃいませ」「ありがとうございました」「またのお越しをお待ちしています」とお店側の人がもっぱら言いますが、韓国では、お客が「社交辞令」的に言う場合があります。

支払いをしてお店を出るときに、

「マニ パセヨ　많이 파세요」や「ト オルケヨ　또 올게요」とお客が言うことがあります。

「たくさん売ってください」「また来店します」という意味です。

もちろんこのように言ったからといって、このお店に来なければならないわけではありません。日本でもお店の人に「また来ます」などと声を掛ける場合がないわけではありませんが、韓国のように「社交辞令」としては使わないようです。

一方、オーダーを受けて料理を運んできた店員が言う言葉も日本ではあまり耳にしないものです。

それは「マシッケ　ドゥセヨ　맛있게 드세요」で、意味は「おいしく召しあがってください」です。

自分の店の料理がおいしくないと思っているはずはありませんから、このようにお客に言ってもおかしくはありません。実際、日本でもちょっと高級感のあるお店で、店員がこのように言うのを聞いたことがあります。でも、大衆的な食堂で、このような言葉を私は聞いたことがありません。

「社交辞令」は基本的には人間関係を円満に、和《なご》やかにする働きがあり、ぎくしゃくした関係を避けることができます。お店の人に支払いが済んだあとに「儲けてください」「また来ます」と言ってお店をあとにすれば、店員さんは決して悪い気はしないでしょう。

このように自分の国の「社交辞令」にも目を向けてみますと、日本とは違った社交辞令もあり、両国の「社交辞令」を積極的に交流させて、それぞれが使うようになれば、人間関係はさらに円満に、和やかにさせることができるかもしれません。

10　相手への呼びかけ方「〇〇さん」

日本ではそこにいる人に声を掛けるとき、あるいは話題としてその人物を取り上げる場合、「〇〇さん」というように「さん」をつけるのが一般的です。この人物の性別、年齢、職位、人間関係の親密度などにもあまり気を遣わなく、「さん」をつければ、まず問題ありません。

ところが韓国では、人に声を掛けるとき、日本語の「さん」のような万能と言ってもいい便利な言葉がありません。

「長幼有序《ちょうようゆうじょ》」（장유유서《チャンユユソ》）という四字熟語があります。日本ではあまり使われなくなってしまっていますが、韓国では、誰でもが知っています。

儒教的な思考がかなり薄れてきた現在の韓国ですが、それでも日本よりはまだ色濃く、お年寄りや年長者、社会的地位の高い人への気の遣い方は社会のなかに定着しています。

この「長幼」とは、年齢が上と下、「有序」とは、順序があることを言っています。

儒教には五つの守るべき「仁・義・礼・智・信（인・의・예・지・신）」の「五常《ごじょう》」（오상《オサン》）と「五倫《ごりん》」（오륜《オリュン》）と呼ばれる「父子有親《ふしゆうしん》。君臣有義《くんしんゆうぎ》。夫婦有別《ふうふゆうべつ》。長幼有序《ちょうようゆうじょ》。朋友《ほうゆう》有信《ゆうしん》（부자유친．군신유의．부부유별．장유유서．붕우유신）」（父子に親《しん》あり、君臣に義《ぎ》あり、夫婦に別《べつ》あり、長幼に序《じょ》あり、朋友に信《しん》あり）があって、これらを守るように説いています。

「父子の親」とは、父と子の間は親愛の情で、「君臣の義」とは、君主と臣下はそれぞれ相手を慈《いつく》しむ情《じょう》で、「夫婦の別」とは、夫と妻にはそれぞれ異なる役割があり、「長幼の序」とは、年少者は年長者を敬《うやま》う情で、「朋友の信」とは、友はたがいに信頼の情で結ばれなくてはならない、というものです。

「五倫」の一つが「長幼有序」になるわけで、これがあるために、冒頭で述べた「さん」をめぐって、日本との違いが生じてきます。

韓国では、相手がはっきり年上や年下だとわかれば、どの呼びかけ方が適切なのかは、すぐにわかります。ところが、自分と比べてどちらが年上かわからないこともしばしば生じます。

こうなると、どう呼びかけていいのかわかりません。そこで日本でしたら「常識がない」とか、「失礼なやつ」といったように見られてしまうのですが、韓国では、ごく当たり前のように起きることがあります。

それは、たとえ初対面でも相手に年齢を訊ねることです。社会的におつき合いするときに年齢の上下で言葉の使い方も相手への行動も大きく異なり、当然、呼びかけ方も違ってきます。年齢を訊くのは失礼に当たることは韓国人も知っています。でも、だからといって、相手の年齢を知らなかったために、かえって失礼な言葉遣いや行動になってしまう可能性も大いにあり得るからです。

私ももちろん相手に訊くことがあります。ただ、直接的に「何歳」と訊くのは避けて、たいていは干支《えと》で訊くようにしています。相手の「ねずみ」とか「うし」といった返事によって、自分より年上か年下かを判断します。こうした習慣が身についているためか、韓国の若者は干支について、日本の若者よりずっと親しみを感じています。

それでは日本の「さん」にあたる呼びかけ方にはどのようなものがあるのでしょうか。代表的なのが次のような使い方です。

①「씨（シ　氏）」

日本でも「〇〇氏」と使いますが、呼びかけには使いません。一人の人物を指すときに使うのが一般的で、「さん」よりずっと固くるしい印象になります。
ところが韓国では、初対面の人やあまり親しくない相手、さらには仕事だけのつき合いをしている相手に使います。

＊ 苗字＋名前＋氏→延恩株氏

＊ 名前＋氏→恩株氏

通常は、この二通りの使い方です。なんとなくよそよそしく、他人行儀な感じがありますが、「名前＋氏」の方が、ややくだけた感じになります。そして、この「氏」を使うときにも「長幼有序」の考え方が顔をのぞかせますから、注意が必要です。

〈注意点〉

＊ このどちらも自分より年上の人には使いません。

＊ 「苗字＋氏」は通常、使いません。

ただし、「苗字＋氏」は韓国では、苗字が日本に比べると大変少なく、苗字だけでは人を特定するのが難しいことから、あえて人を特定するのを避けるために特別に使われることがあります。ニュースなどでプライバシーにかかわるためで、この場合は失礼になりません。

もう一つ、かなり横柄な態度で接しても問題が起きない相手、たとえば、自分の家の使用人などに使いますが、これも失礼になりません。

ただ、これらは例外ですから、二つの注意点を忘れると、相手にはかなり不快感を与えてしまいます。

②「兄さん、姉さん」

自分より年上の人への呼びかけになり、「○○さん」「○○ちゃん」といった感じになります。赤の他人にこのように使うのですから、日本とは異なった使い方です。

〈注意点〉

＊ 自分との年齢差が目安として一〇歳程度までで、それ以上離れている場合は使わないのが一般的です。

＊ 自分が男性か、女性かによって呼びかけ方が異なります。
男性が年上の女性を呼ぶ↓ ヌナ（누나）
女性が年上の女性を呼ぶ↓ オンニ（언니）

男性が年上の男性を呼ぶ➡ヒョン（형）

女性が年上の男性を呼ぶ➡オッパ（오빠）

この言い方を使う場合は、いきなり「オンニ」「ヒョン」と呼びかけても、また「名前＋オンニ」「名前＋ヒョン」でも構いません。

さらに丁寧に言う場合は、男性から年上の男性や女性に呼びかけるとき、兄さんの「형（ヒョン）」を「형님（ヒョンニム）」、姉さんの「누나（ヌナ）」を「누님（ヌニム）」と言っても構いません（님（ニム）は、日本語の「様」にあたります）。

③「名前＋야（ヤ）」、「名前＋아（ア）」

これは両親が子どもを呼ぶとき、上の兄や姉が下の弟や妹を呼ぶとき、仲の良い友だち、あるいは年下の友だちに使います。

仲の良い友だち、年下の友だちに使うときには「長幼有序」を考える必要はなく、名前のあとにつけます。

〈注意点〉

＊「ヤ 야」と「ア 아」の違いは韓国語のパッチムが関係します。つまり、名前の最後

が母音で終わるなら「ヤ 야」です。名前の最後が子音で終わると「ア 아」になります。

④ 「名字＋職位＋님（ニム）」「名字＋先生＋님（ニム）」

年齢が自分の親ほどに離れている場合は、この呼びかけ方が一般的です。ただし、相手の職業がわからなければ、職位をつけての呼びかけ方はできません。

なお「선생님 ソンセンニム 先生様」は日本語の意味とは異なって、敬意を込めた「～さん」ですから、年配の方には使うことができます。

いずれにしても「長幼有序」があるため、自分より年上で、あまり親しくない人への呼びかけには、かなり神経を使わなければなりません。

韓国では、相手に呼びかけるとき、自分と相手の年齢の上下を知っておかないと、気安く「○○さん」と呼びかけられないことは、理解していただけたのではないでしょうか。

11 「朝」と「夕方」

私は二〇一九年八月中旬、半年ぶりに韓国の親元に帰省しました。この間に韓国と日本は、それまで以上に険悪な情勢になっていて、日本のテレビなどマスコミが伝える情報には、針小棒大《しんしょうぼうだい》というか、一面的というか、情報が正確に伝えられていないようでした。両国とも「嫌韓《けんかん》」「嫌日《けんにち》」を煽《あお》るかのように、日本の安倍政権と韓国の文在寅《ムンジェイン》政権の対立だけが浮き彫りにされ、韓国人はすべて日本を敵視しているような映像ばかりがテレビやネット上に流されていました。

韓国でもそれは同様の状況で、母からは日本で私に嫌《いや》がらせや危害が及んでいるのではないかと心配する電話が何度かありました。もちろん母の杞憂《きゆう》だったのはいうまでもありません。

私はこの間、ユーチューブで韓国情勢を直接、見ていましたから、韓国内の政治情勢が大きく二分され、対立しているのを知っていました。日本では、なぜか文在寅批判勢力の動きはあまり報道されていませんでした。ですから、金浦《きんぽ》空港から乗ったタクシーの運転手の口からいきなり文在寅大統領批判が飛び出しても、私は驚きませんでした。

また、私の手荷物で日本から来たのがわかったのでしょう、運転手は若い頃に日本で三年ほど働いていたことがあったそうで、「日本とは仲良くしないといけない」「日本のビールは美味い」「日が落ちるのが早くて一日が短く感じた」などと私に話しかけていました。

「日が落ちるのが早い」と言われて、そのとき私が一年前におこなった調査について思い出していました。それは「日本語の表現と韓国人の理解度――その差異から日本人の思考様式を探る基礎的研究」というもので、大学の研究助成を受けての調査でした。

この研究では、いくつかの日本語の表現（主に曖昧な表現）を韓国の大学の日本語学科で学んでいる学生にその意味を質問し、どのように理解しているのか調査するのが第一段階でした。次に同じ表現を日本の学生に質問し、やはりどのように理解しているのか調査するのが第二段階で、その両者の理解の差異から、韓国人ではなく、日本人の思考様式を知ろうとする、少々ねじれた研究の入り口の調査でした。

この調査の中に〝「明日の朝、行きます」「今日の夕方、行きます」という表現から「朝」と「夕方」はそれぞれ、何時頃から何時頃まで〟と感じるかを訊ねる項目がありました。

調査した対象人数が韓国、日本いずれも一五〇人ほどと少なく、しかも、正解があるわけではありませんから、〃一つの傾向が窺《うかが》える〃といった結果になるのは仕方ないところでした。

この調査結果は、次のようでした。

「朝」

＊韓国人学生

四時～一〇時	一・五％
六時～	一・五％
六時～七時	一・五％
六時～八時	四・六％
六時～一〇時	四・六％
六時～一二時	三・三％
七時～	七・六％

七時～八時	四・六％
七時～九時	一・五％
七時～一〇時	七・六％
七時～一二時	三・〇％
八時～	七・六％
八時～九時	四・六％
八時～一〇時	七・六％
九時～	三・〇％
九時～一一時	一・五％

＊日本人学生

四時～一一時	一・二％
五時～一〇時	六・四％
五時～一一時	二・五％
六時～九時	二・五％

六時～一〇時	五・一％
六時～一一時	一・二％
七時～	二・五％
七時～八時	二・五％
七時～八時三〇分	一・二％
七時～九時	六・四％
七時～一〇時	一一・五％
七時～一一時	三・八％
七時～一二時	一・二％
七時三〇分～一一時三〇分	一・二％
八時～一〇時	七・六％
八時～一一時	五・一％
九時～	三・八％
九時～一一時	七・六％
一〇時～	二・五％

このほかに、「朝」の始まり時間が記されずに、終わりの時間を、九時まで（一・二%）、一〇時まで（五・一%）、一一時まで（一・二%）としている学生もいました。

以上の数字をまとめてみますと、

「朝の始まり」

四時〜	韓国、日本両国とも少数	
五時〜	韓国　無し	日本　八・九%
六時〜	韓国　一五・五%	日本　八・八%
七時〜	韓国　二四・三%	日本　二九・一%
八時〜	韓国　一九・八%	日本　一二・七%
九時〜	韓国　四・五%	日本　一一・四%
一〇時〜	韓国　無し	日本　二・五%

六時〜八時までの三時間のいずれかを〝朝〟の始まりと捉えていた日本の学生は五〇・六%、韓国の学生は五九・六%でした。日本では五時からを「朝」とする学生が八・九%いましたから、この数字を加えますと、韓国と日本の学生の約六〇%は八時までのいずれ

かを〝朝〟の始まりとしていて、ほぼ相似形《そうじけい》であることがわかります。

ところが、もう少し細かく数字を比較しますと、韓国の学生は〝九時〟からを「朝の始まり」とするのは四・五％で、〝一〇時〟以降はいませんでした。

しかし、日本の学生では〝九時〟からが一一・四％、〝一〇時〟からが二・五％と、韓国の学生とはかなり異なる時間感覚を持っていることがわかります。

このことは「朝の終わり」の時間帯を見ますと、いっそうはっきりしてきます。


「朝の終わり」

七時まで	韓国　一・五％	日本　無し
八時まで	韓国　九・二％	日本　三・七％
九時まで	韓国　六・一％	日本　八・九％
一〇時まで	韓国　一九・八％	日本　三〇・六％
一一時まで	韓国　一・五％	日本　二一・四％
一二時まで	韓国　六・三％	日本　二・四％

「朝」の終わりを一〇時までとする学生が両国ともいちばん多いのですが、日本の学生

は韓国の学生より一〇ポイント以上も多くなっています。しかも、際立っているのは「朝」を一一時までとする学生が韓国では極めて少数なのに、日本では圧倒的に高い数字を示しています。

これは「朝の始まり」感覚が日本人学生では九時、あるいは一〇時からが一三・九％（韓国は四・五％）と数が多かったのと関連していると同時に、一日の学生の生活スタイルが韓国と日本では異なっていると推測されます。私がこのように推測するのは、韓国では「朝の始まり」を五時からとした学生がいなかったこと、韓国人学生の「朝の始まり」に「太陽が昇った時」という回答があったことなどからです。

それでは「夕方」はどうだったのか、調査した数字を示します。

「夕方」

＊韓国人学生

一三時〜一六時　一・五％
一四時〜一九時　一・五％
一七時〜　一・五％

一七時～一八時	一・五％
一七時～一九時	四・六％
一七時～二二時	一・五％
一八時～	一四％
一八時～一九時	四・六％
一八時～二〇時	一二・五％
一八時～二一時	六・二％
一八時～二二時	四・六％
一八時～二四時	三・一％
一九時～	四・六％
一九時～二〇時	三・一％
二〇時～	一・五％
二〇時～二三時	一・五％
二一時～	一・五％
夕日になってから	四・六％

＊日本人学生

一三時～一七時	一・二％
一五時～一八時	一五・三％
一六時～	六・四％
一六時～一七時三〇分	一・二％
一六時～一八時	四七・四％
一六時～一八時三〇分	二・四％
一六時～一九時	六・四％
一七時～	五・一％
一七時～一八時	一・二％
一七時～一九時	二・五％
一八時～	二・五％
無回答	七・七％

以上の数字をまとめると次のようになります。

「夕方の始まり」

一三時～　韓国、日本とも少数
一四時～　韓国　少数あり　　日本　無し
一五時～　韓国　無し　　日本　一五・八％
一六時～　韓国　無し　　日本　六二・八％
一七時～　韓国　九・三％　　日本　一〇・二％
一八時～　韓国　四五・三％　　日本　二・五％
一九時～　韓国　七・八％　　日本　無し
二〇時～　韓国　三・一％　　日本　無し
二一時～　韓国　一・五％　　日本　無し

「夕方の始まり」の時間を比較すると、ここにも顕著な違いを見ることができます。日本では一五時と一六時を合わせると、七八・六％の回答者が「夕方の始まり」としているのに、韓国ではこの時間帯を「夕方の始まり」とした回答者はこのときの調査では一人もいませんでした。いみじくも冒頭のタクシー運転手の言葉を証明することになっていました。

一方、韓国では一八時からを「夕方の始まり」とする回答者が四五・三%と半数近くがこの時間帯に集中していて、日本では僅かに二・五%に過ぎませんでした。さらに、日本人回答者には皆無だった一九時～二一時までをそれぞれ「夕方の始まり」としている韓国人回答者が一二・四%にものぼりました。

そして、「夕方の終わり」の時間帯を見ますと、「夕方の始まり」と連動性があることが次の数字からわかります。


「夕方の終わり」

一六時まで	韓国	一・五%	日本	無し
一七時まで	韓国	無し	日本	一・二%
一八時まで	韓国	一・五%	日本	六四・一%
一九時まで	韓国	一〇・九%	日本	一一・五%
二〇時まで	韓国	一五・六%	日本	無し
二一時まで	韓国	六・二%	日本	無し

二二時まで　韓国　六・二％　日本　無し
二三時まで　韓国　一・五％　日本　無し
二四時まで　韓国　三・一％　日本　無し

日本人では一八時までを「夕方の終わり」とする者が六四・一％で「夕方の始まり」を一六時とした六二・八％と連動していることがわかります。日本人回答者では「夕方」を一六時〜一八時とする者が多く、これに一九時までを加えれば、七五・六％が一六時からの三時間程度を「夕方」とみなしています。

一方、韓国人回答者は二〇時を「夕方の終わり」とする割合が一五・六％ともっとも高いのですが、日本のような集中性が見られません。日本人が「夕方」とは見なさない二〇時〜二四時までのいずれかを「夕方」とする割合が三二・六％にのぼっています。非常に鮮明なのは、韓国の「夕方の始まり」は日本より二時間ほど遅く、「夕方の時間の長さ」が日本では、二〜三時間と考えている人が圧倒的に多いのに対して、韓国では、夕方の時間的な幅が日本よりかなり広くなっていることです。

これには韓国と日本の地理的な位置が関わっているという推測は可能です。韓国と日本は時差がないことになっていますが、たとえば、韓国のソウルに旅行すると、東京と比較して朝は日の出が遅く、夕方は日の暮れが遅いことに気づくと思います。

このときの調査では、ソウル近辺と東京近辺に暮らす学生たちでしたから、その時差が回答に反映していた可能性があります。しかし、即断はできないでしょう。日本のもっと南の地域で生活している人たち、あるいは一般的な社会人、農魚業やそのほかの第一次産業に従事している人たちの感じ方などはまだまだ未調査だからです。

また、「夕方」の時間の幅が韓国の方が広く、日本は集中的である傾向が見られるのは、韓国と日本の挨拶言葉の違いが反映されているかもしれません。日本には朝から晩までに、それぞれの時間帯に合わせるように「おはよう（ございます）」「こんにちは」「こんばんは」という使い分けがあります。

でも、韓国では、いつでも「안녕하세요?」（アンニョンハセヨ）です。かしこまった場や年長の人には「안녕하십니까?」（アンニョンハシムニカ）と使い分けるだけで十分です。日本で暮らし始めて、朝は「おはようございます」、昼は「こんにちは」と言えばいいということは、太陽の動きや昼食などの時間帯がありますから、理解できたのですが、昼から夜に変わるとき、特に今回の調査で取り上げた「夕方」近くになりますと、何と言え

ばいいのか、判断に迷ったものでした。正直に言えば、現在もよくわかりません。「夕方」になりますと、「こんにちは」「こんばんは」どちらを使うのか、自分なりに判断して、使い分けなければいけないことが日本では起きます。

そして、日本では「こんばんは」を使ったときには、もう「夕方」ではなく、「夜」になったとの認識を持つことになるようです。

「夕方」の時間帯が日本ではあまり幅がなく、集中的なのはこの挨拶言葉とも関わりがあるのかもしれません。

第二章　世相・時事

1　流行語から見える韓国

毎年、日本ではその年に流行した、あるいは新しく生まれた言葉に関わった人物や団体を顕彰する「新語・流行語大賞」という賞が一二月一日に発表されます。一九八四年（昭和五九年）から始まり、すでに三六年以上の歴史があります。

このような賞には遊び心があって、しかも、日本のその一年の世相がなんとなくわかって、私のような外国人にはとても興味深いものになっています。

韓国にはこうした賞がないのが残念です。ただ新語や流行語は当然といえば当然ですが、日本と同じように毎年、生まれます。それがマスコミなどで取り上げられたり、ドラマなどに反映されたりして広く知られることになります。また、テレビのドラマ、バラエティー、お笑い番組やＣＭなどで使われている言葉が次第に広まっていくケースもよくあります。そのほか流行語を生み出しやすい媒体として、インターネットも無視できません。

日本の「新語・流行語大賞」の候補として選ばれる言葉は、おおむね政治や経済関係のほかに芸能、テレビ番組、スポーツといった領域からのものが多いようで、それは韓国でもほぼ同じです。

ただ、ここ数年、韓国での流行語を見ますと、社会全体が沈み、あまり明るい世相でないことを反映したものが多く目につきます。

たとえば、二〇一〇年以降、韓国では三放《サムポ》世代（삼포세대）という言葉が登場しました。恋愛、結婚、出産を諦めてしまった若者たちを指し、若者世代の生活が不安定で、苦しいことを示しています。ところが、これに続いて間もなく、マイホームと人間関係も諦めてしまう「五放《オポ》世代」（오포세대）、さらに夢と希望まで諦めた「七放《チルポ》世代」（칠포세대）と次第にエスカレートしていきました。

韓国は朴正熙《パクチョンヒ》（박정희）第五代大統領によって、一九六〇年代に「漢江《ハンガン》（한강）の奇跡」と呼ばれた高度経済成長政策や教育改革が実行され、その後は民主化も進められ、めざましい発展を遂《と》げて、三〇年間ほどで世界の最貧国から先進国へと急激な成長を果たしました。

でも、一九九七年のアジア通貨危機（ＩＭＦ危機）以降、韓国経済はそれまでの成長が頓挫し、企業倒産件数と失業率も大幅に増加、労働市場は一変してしまいました。

その結果、非正規雇用者が増え、低収入で生活が不安定な若者たちは「貯蓄がない」「貯蓄しても不足」「実家が裕福でない」「就職が遅れた」「低賃金」などの理由で「三放世代」とならざるを得ない状況に追い込まれてしまいました。

事態が改善されていないことは、「三放」「五放」「七放」だけでなく、数年前からは自分の将来のすべてを諦めてしまう「N放《ポ》世代」（N포세대）という言葉さえ生まれていることからも窺《うかが》えます。

こうした雇用状況の悪化を反映して、二〇一四年には「熱情《ヨルチョン》ペイ」（열정페이）という言葉が流行しました。主に若者の間から生まれた新語ですが、若者特有の「熱情」と、支払いを意味する「Pay」を組み合わせた言葉です。

実際、雇用状況はなかなか厳しく、①非労働力人口が多い。②若年層（一五歳～二九歳）の失業率が高い、③低賃金労働が多い（百本和弘『ジェトロセンサー』二〇一四年一一月号）という状況が続いています。また韓国統計庁によると、二〇一五年の就業率は六〇・三％で失業率は三・六％（日本は同年、失業率三・四％、就業率五七・六％）ですから、日本とほぼ同じレベルと言えます。ところが、若年層に限りますと、就業率は四一・五％で、失業率は九・二％（二〇一六年第一四半期では一一・三％と過去最悪）となっていて、若年層の失業問題が深刻なのがよくわかります。

こうした就職難の中で、「熱情ペイ」が現れてきたというわけです。つまり「熱情があって仕事をするなら、賃金は二の次」という雇用形態で、無給か、低賃金で働かせようとする雇用者側を批判、揶揄《やゆ》した言葉です。

ちょっと横道にそれますが、私が勤務している大学で、韓国からの留学生数人がコンビニでアルバイトをしています。彼女たちはアルバイトでも最低賃金の保証があり、雇用条件も明確なため、非常に真面目に働いていたようです。それが店長の目にとまり、今よりも優遇するので辞めないで欲しいと言われた、と嬉しそうに私に報告にきたことがあります。これなどは、母国での「熱情ペイ」のような、ただ働きに近い雇用状況を知っていたからこその反応だったのでしょう。

ただ働きに近い低賃金雇用、それが「熱情ペイ」です。韓国の若者がこうした雇用条件でも働こうとするのは、安定した職場を手にするステップになるだろうと考えているからです。日本と違って就職する際には、学歴だけでなく、その他の経験や得意ジャンルが重視される社会でもあるからです。

でも、若者たちのこうした熱情を真剣に受けとめようとする雇用者側はほんの僅かで、

今や次のような、あまりにも自虐的すぎるのでは、と私などは思ってしまう言葉が二〇一五年に急激に流行しました。「ヘル朝鮮」（헬조선）がそれです。

「ヘル」とは「Hell」、つまり「地獄」を指します。直訳すれば「地獄の朝鮮」です。これほどマイナスイメージが強い言葉で表現しなければならないほど、韓国の状況がひどいとは思いませんが、韓国人の日常生活にさまざまな不安や不満が生まれていることは理解できます。

この言葉が登場したのは、二〇一二年前後のインターネット上でした。特に若者たちの間で使われ始めましたが、まだそれほどの広がりは見せていませんでした。しかし、これまで述べてきたような状況が、この言葉の広がりに火をつけた格好になり、社会問題を論じた書籍の書名にも使われるほどになっています。

二〇一五年一二月一日の『ハンギョレ新聞』（한겨레신문）は「大韓民国が「ヘル朝鮮」である六〇の理由」を掲載しました。そのいくつかを見ますと、

「出生率、世界最下位圏」「児童の学業ストレス世界最高」「後進国病〝結核〟、OECD中一位」「医療費増加率、OECD中一位」「児童福祉支出、OECD中最下位」「老人貧困率、OECD中一位」（OECD加盟国は二〇一五年現在、三四カ国）。

『ハンギョレ新聞』の記事は、韓国の最悪、悲惨な数字にだけ目が向けられていますから、これが韓国のすべてとは言い切れないだろうというのが私の実感です。

一方、若者たちを中心に言われ始めた「ヘル朝鮮」には、彼らの切実な思いや願いが込められているようです。

「平凡に生きたいという欲求を持ってはいけない国」

「義務ばかり多く、権利がほとんどない国」

「痛みが、若者の青春になる国」

「上下の階級区別が明確な国」

などは辛辣《しんらつ》です。でも、韓国が抱える問題点を若者たちは鋭く突《つ》いていると思います。彼らは生まれたときから激しい競争社会に投げ込まれ、小学生の頃から塾へ通い、ひたすら有名大学合格、一流の大企業入社を目指して頑張り続けなければなりません。問題は、努力する人、頑張る人なら誰でもが無条件で、望んだことへ挑戦する機会が与えられる仕組みを国が作っているのか、ということになると思います。報われる社会、頑張り甲斐のある社会の出現を望んでいるからこそ、若者は逆説的に「ヘル朝鮮」を口にするのだと思います。

私は「ヘル朝鮮」を声高に叫んでいる人びとには、まだ希望があると見ています。若者たちは韓国人として生きていくことに絶望しているわけではありませんし、また是非そうあってほしいと願っています。

私がこのように考えるのは、確かに若年層の就職難は顕著ですが、一方で、中小企業は労働力不足が深刻化しています。つまり、若者の大企業指向を変えることが急務になっています。また理工系の学生には就職の門戸は比較的大きく開けられていて、「就職やくざ」（チィオプカンペ 취업깡패）という言葉が若者の間で使われているほどです。

これは就職が難しい時代に特定の学問領域出身者だけはあっさり就職できることから、まるでやくざのようだ、といった意味合いが込められています。

もっともこの言葉、理工系の人間だけを指すのではなく、時代によって企業が求める人材が変わるたびに変わってきました。以前は経営、経済系の学生が「就職やくざ」でした。現在の「就職やくざ」は電気・電子、化学工学、機械工学とされていますが、これがまたいつ変わるか、わからないわけです。

ところで、二〇一六年の流行語を見ると、「ヘル朝鮮」からさらに問題が顕在化し、焦点が絞られてきました。

それは「金の匙」（クムスジョ：금수저）という言葉です。「ヘル朝鮮」ともつながっていて、その後、一気に広がりました。もともとはイギリスの「Born with a silver spoon in one's mouth」（銀の匙を口にして生まれてきた）ということわざで、親が銀の匙を持つほどであれば、その子も幸せに暮らせるだろうという意味で使われています。

ところが韓国では、いろいろな匙（「銀の匙」「銅の匙」「土の匙」など。貧富の差によって差別化）を持ち出して、人生は金持ちの家庭に生まれたか、貧しい家庭に生まれたかによって決まるという解釈に変えてしまいました。ですから「金の匙」とは、親に経済力があって、恵まれた生活が送れる子どもたちを指します。もっとも最近では、「金」の上にさらに「ダイヤモンド」まで登場しているようです。

いずれにしても親の財力で人生が決まってしまい、本人の努力では上位の階層には上がれないという考え方が若者に広がっていくのは、決していい傾向ではありません。諦観《ていかん》は上昇志向の芽を摘《つ》み取り、努力を放棄《ほうき》させてしまうからです。

もっとも私が勝手にこのように心配しているだけで、若者たちは案外、ブラックユーモアで現在の状況を諷刺しているだけなのかもしれません。

韓国の若者たちは、かつて高校卒で、弁護士の資格を取り、大統領になった人物（盧武鉉《ノムヒョン》一六代大統領）が自分の国にはいたことも知っているはずです。また、ますますグローバル化している韓国ですから、働き場所が韓国だけとは考えない人も増えてきています。

こうした逆転の発想で、ここ数年とは大きく様変わりした流行語が生まれてくることを期待しています。

2　カンガルー族とは

カンガルーなら誰でも知っている動物ですが、「カンガルー族（캥거루족）」となると、日本の方は首をかしげられると思います。

でも、出産後、自分のお腹の袋の中に赤ちゃんを入れて、かなり大きくなるまで育てるカンガルーの姿を思い浮かべますと、なんとなくイメージが湧くかもしれません。

いつまでも親の袋から抜け出さない子どもたち、それが韓国での「カンガルー族」です。もちろん親から離れられない理由があり、かなり深刻な社会問題が根底にあります。

この言葉が使われ始めたのは二〇〇四年頃からで、事態は改善するどころか、ますます「カンガルー族」が増えてきています。

朴槿恵《パククネ》（박근혜）大統領が二〇一八年二月の任期満了前の辞任表明に追い込まれ、二〇一七年三月一〇日に罷免《ひめん》されましたが、直接的な要因は崔順実《チェスンシル》（최순실）との関係だったことは周知の事実です。でも、隠れた要因の一つとして、経済運営で成果が上がらず、国

民の間に不平、不満がたまり続けていた点も見逃せないでしょう。すべて朴大統領の責任に転嫁《てんか》されてしまったのはお気の毒と言うしかないのですが。

「カンガルー族」という言葉の出現時期をみても、経済的な停滞は朴大統領就任よりかれこれ一〇年以上前であったことがわかります。特に近年では若者の失業率が一〇%を超え、「ヘル朝鮮（地獄の朝鮮）」などという言葉が流行語となってしまう経済状況への不満が崔順実事件で一気に爆発してしまいました。

このように「カンガルー族」とは、若者の雇用問題と直接結びついています。大学を卒業しても就職できなかったり、雇用されても親元から独立できるほどの収入が得られない若者の増加が、こうした言葉の出現につながりました。つまり、「カンガルー族」とは、経済的、精神的に親に頼ってしまう若い世代を指す言葉です。

こうした状況に追い込まれる若者たちを「カンガルー」と表現したのは、韓国が最初ではなくフランスで、韓国よりも六〜七年ほど早く、一九九八年にマスコミで取り上げられ、「カンガルー世代」と呼ばれました。ところが、フランスでは二〇〇一年に親元から独立しようとしないタンギーという息子と両親の葛藤を描いた映画『タンギー』が話題となり、その後は「カンガルー世代」に代わって「タンギー」が使われるようになっています。

ついでに言えば、韓国の「カンガルー族」と似た社会現象は韓国の専売特許ではなく、アメリカでは「トウイックスター」、イギリスでは「マミーズボーイ」、ドイツでは「ホテルマンマ」と呼ばれ、就業率低下、経済力不足で親と同居する若者たちが世界的に存在しています。

日本も例外ではありません。「パラサイトシングル」がそれです。

〝パラサイト〟は〝寄生〟を意味しますから、「パラサイトシングル」とは、学業を終えて社会人となっても親と同居して、生活を支援してもらう独身男女を意味します。

総務省統計研修所研究官室の西文彦、菅まりの報告「親と同居の未婚者の最近の状況その5」（財団法人日本統計協会『統計』平成一九年二月号）によれば、日本では一九八〇年の二〇～三四歳までの親と同居の未婚者の割合は二九・五％でしたが、一〇年後の一九九〇年では四一・七％と急増しています。このなかには大学生も含まれますし、生活費をきちんと親に渡している人もいるでしょうから、すべてが「パラサイトシングル」の範疇には入りません。でも、それを差し引いても「パラサイトシングル」は相当数にのぼると考えられます。

同じく西文彦「親と同居の未婚者の最近の状況　その10」（二〇一三年四月九日／二〇一

五年一一月一七日訂正）では、親と同居の若年未婚者の実数は二〇〇三年の一二一一万人をピークに次第に減少しています。ところが割合では二〇〇三年↓四五・四％、二〇〇七年↓四六・七％、二〇一二年↓四八・九％と増加しています。

ただ韓国の「カンガルー族」と日本の「パラサイトシングル」には、若年層の貧困化、就業困難化が同様にありますが、捉え方に違いがないわけではありません。

一九九七年に「パラサイトシングル」と名付けた山田昌弘によりますと、「学卒後も親に基本的生活を依存しながらリッチに生活を送る未婚者」で、「親に家事を任せ、収入の大半を小遣いに充てることができ、時間的・経済的に豊かな生活を送っている」という枠組みもあるからです。要するに家賃無料、光熱費無料、家での食費無料、さらに洗濯・掃除も親頼みというわけです。

一方、韓国の「カンガルー族」の一部には、日本の「パラサイトシングル」と同様の若者もいると考えられますが、大半は独立したくてもできない若者たちです。二〇一五年八月一三日に韓国職業能力開発院が公表した「カンガルー族の実態と課題」によりますと、親から何らかの経済的支援を受けている大卒者のうち、五一・一％が「カンガルー族」だというのです。職業能力開発院が二〇一〇年八月と二〇一一年二月に卒業した二年制・四年制大学卒業者一七〇〇〇人を対象に、彼らの大学卒業後の二〇一二年九月時点で調査した数字ですので、現在はさらに増えていると思われます。

このうち

親と同居、小遣い受け取り　↓　一〇・五％

親と同居、小遣い無し　↓　三五・二％

親と別居、小遣い受け取り　↓　五・四％

となっていて、こうした「カンガルー族」の四七・六％が正規職就業者、三四・六％が非就業者、一四・七が臨時就業者、三・一％が自営業だったということです。「カンガルー族」のうち、約三五％が働く場を持っていないことがわかります。一方で、半数近くが正規職に就きながら賃金が低く、自活できないことを示しています。

自分の望む職業に正社員として雇用されたと回答した人が一九・五％に過ぎず、しかも、そのような人でも「カンガルー族」にならざるを得ないところに、韓国の雇用問題の大きさがあると思います。

韓国からの留学生が「日本ではたとえアルバイトでも、しっかりやれば生活できるのに、韓国では絶対に無理です」と私に言ったことがあります。確かに雇用の機会を増やし、質

を上げないかぎり「カンガルー族」は韓国から消えないでしょう。それればかりか最近では、結婚してからも親と同居する「新カンガルー族（신캥거루족）」が増え始めています。

韓国保健社会研究院が二〇一六年二月一六日に発表した報告書「家族の変化に伴う結婚・出産行動の変化と政策課題」によりますと、既婚の子どもが親と同居する世帯数は、一九八五年～二〇一〇年の二五年間に四・二倍に増加したそうです。その大きな理由は、家賃が高過ぎて結婚しても独立できない、共働きの夫婦が両親に子どもの面倒を頼むためなど、「カンガルー族」とは異なる要因も加わってきています。

このような「カンガルー族」や「新カンガルー族」を減少させる政策が是非とも打ち出される必要があります。ただ、気になる問題点が韓国社会には潜んでいると思います。それは高学歴社会で、しかも、幼い頃から有名大学、有名企業を目指す意識が強く、その実現だけを目指し過ぎていると私には映ることです。

日本では、大学進学率がようやく五〇％（短期大学を除く）を超えたばかりです。自分の好きな勉強をし、自分の好きな職業に就く人も少なくありません。なにがなんでも有名大学に入り、有名企業に入社しようと考える人はむしろ少数だと思います。どのような職業であろうと他人の目など気にせず、自分なりの考えで行動する人が多いのではないでしょうか。

　でも韓国では、高学歴であるためにアルバイトなどできないと思ってしまう人や、親からすれば高学歴の我が子がアルバイトをするなど情けないと思ってしまう傾向があります。子どもは親に恩返しをしようとの思いが強く、親はそれを期待しているからこそ、就職するまで面倒を見ようとする意識がいっそう強くなると言えます。もし他人の目がなかったら、おそらく自分の考え、価値観に基づいて忠実に行動し、親も子どもの自由に任せるのではないでしょうか。

　私から韓国の若者たちに是非、伝えたいのは「肩の力を抜いて、他人の目を気にせず、自分の価値観を大切にして、自分の好きな事に取り組んでください」ということです。

3　女性への新しい差別語

「見ざる、言わざる、聞かざる」という言い方があります。日本では江戸時代初期の彫刻家・左甚五郎《ひだりじんごろう》作と伝えられている三匹の猿の彫刻が、日光東照宮の表門をくぐった左手の「神厩舎《しんきゅうしゃ》（神に仕える「神馬《しんめ》」をつなぐ厩《うまや》）」の長押《なげし》（日本の建築で柱と柱の間をつなぐ横木の材木）の上にあり、特に知られています。右側から目をふさいでいる猿（見ざる）、口を押さえている猿（言わざる）、耳をふさいでいる猿（聞かざる）の順に並んでいます。

この言葉、日本では一般的に「他人の悪い所は見ない、他人の悪口は聞かない、自分から他人を悪く言わない」といった意味で使われています。

でも、三匹の猿は日本が発祥地ではなく、古代エジプトから始まって世界各地で「見ざる、言わざる、聞かざる」は使われています。

そして、韓国には「聞かざる《クィモゴリ》三年、見ざる《チャンニム》三年、言わざる《ボンオリ》三年」（귀머거리삼년 장님삼년 벙어리삼년）という変形した言い方があります。韓国の女性なら誰でもが知っている言

葉です。

結婚した女性は婚家では嫁の立場であり、何を言われようが、何をされようが、じっと我慢をし、ひたすら耐えなければならない。それは「見ない、聞かない、言わない」という生活が長く続くのを覚悟しなければならないという意味で使われます。

かつての日本も、嫁の立場では韓国とほぼ同様の状況だったようですが、韓国では、今でも状況はさして変わっていません。多くの女性が婚家では「見ざる三年、聞かざる三年、言わざる三年」状況に置かれています。

儒教が中国から朝鮮半島に伝えられたのは、遠く高句麗《コグリョ》（고구려）、百済《ペックチェ》（백제）、新羅《シルラ》（신라）の三国が覇権《はけん》を争った三国時代（紀元前五七〜九三五）でした。でも、儒教的な祖先崇拝や礼法が人びとの日常生活の規範として浸透、定着したのは一八〜一九世紀のことでした。それだけに現在でも、中国以上に日常生活に祖先を祀る祭祀行事が密接に関わっています。

韓国で結婚して間もない女性が「見ざる三年、聞かざる三年、言わざる三年」を嫌というほど感じるのは、婚家での、この祭祀行事の時だと思います。まるで召使のようにこき使われ、不平一つ言わずに立ち働くのが当然と見られています。

韓国で「男女平等」が憲法に明記されたのは、一九四八年七月に制定された大韓民国憲法からでした。また、一九八七年一二月制定の「男女雇用平等法」によって、雇用における男女平等の機会と待遇も保証されたことになっています。

でも、残念ながら、一般家庭内にさえ、まだ男女差別が存在しています。

二〇一八年五月二日の韓国の『聯合ニュース』(연합뉴스)によると、韓国女性政策研究院が発表した世論調査報告書で、「韓国社会は女性が差別されている」と回答した人が六二%、「男女は平等だ」と回答した人は二二%にとどまったそうです。

こうした社会的環境だからなのでしょう、女性を差別、蔑視《べっし》するような言葉が生まれやすいと言えるかもしれません。こうした差別語、蔑視語と思われるいくつかについて、紹介してみます。

○「キムチ女」(김치녀　キムチニョ)

新しい女性蔑視語です。二〇一四年頃から最初はネット上で、最近はテレビなどでも使われるようになりました。デートにかかる費用、結婚費用(新婚旅行費も含む)、住居費用など、何から何まで男性に支払いを任せる女性を侮蔑《ぶべつ》するときに使います。

日本では、デートしても男女が割り勘というのも許されますが、韓国では男性が負担するのが普通で、かりに割り勘にしたら女性からダメ男の烙印《らくいん》を押されてしまいます。就職難が続く韓国では、経済的に豊かな未婚の若い男性は少ないはずで、その彼らがデート代などすべてを負担するのは、かなり辛いだろうと思っていますので、こうした言葉が生まれてくるのもわかるような気がします。

○「醤油女」（간장녀　カンジャンニョ）

「キムチ女」とは反対の意味を持ち、褒《ほ》め言葉と言えるでしょう。今回のテーマから外れるのですが、韓国の女性が「キムチ女」ばかりではないということを教えてくれます。「醤油女」は金銭について、しまり屋で、物をできるだけ安く買おうとする買い物上手な、見栄よりも中身や質を重視する女性を言います。

○寿司女（스시녀　スシニョ）

文字を見るとわかりますように日本の「寿司」との合成語で、日本の女性を指していますす。「キムチ女」との対比では、褒め言葉になりますし、時には日本人女性への蔑視語、差別語にもなります。

良い意味では、従順でおとなしく、デート代なども割り勘で不平を漏《も》らさない、結婚式などにはお金をかけず、二人の結婚後の生活費に回すといった女性を指します。

○「味噌女」（된장녀　テンジャンニョ）

「キムチ女」より早く二〇〇六年頃からネット上に現れ始めた言葉で、経済的に親や男性に頼っているのに、高価なブランド品など贅沢志向《ぜいたくしこう》の強い若い女性を蔑視、揶揄《やゆ》する言い方です。またブランド品ばかりを自慢げに着たり、持ったりしている頭の悪い女性という意味もあります。

「キムチ女」よりごく限られた女性たちを対象にして使われています。

以上は「〇〇女」という差別、蔑視語ですが、韓国には特定の集団や人びとを差別する「〇〇虫」という言い方もあります。この「虫《チュン》」（충）のついた用語が登場したのは、二〇〇〇年代始めですが、近年は女性に限らず、日常生活で目についた一定の集団にも向けられる傾向があります。

たとえば、韓国では、六五歳以上の高齢者は地下鉄などの鉄道に無料で乗車できる敬老無料乗車制度があります。そして、こうした人びとを「老人虫（高齢者虫）」（노인충 ノインチュン）、「ただ虫」（공짜충 コンチャチュン）などと揶揄《やゆ》する言葉が生まれています。こう呼ぶ側に不平や不満があるのでしょうが、お年寄りへの敬老の趣旨が踏みにじられ、お年寄りを大切にするという韓国の伝統的な考え方が消えてきているようで、とても辛い思いが私にはあります。

次は「自由」をはき違えている若い子育て中の女性たちの現状を反映した表現です。

○「ママ虫」（맘충 マムチュン）

お母さんを意味する「ママ」（mom）と「虫」を合成した言葉です。商店、飲食店ほか公共施設などで子どもが大きな声を上げたり、好き勝手をしていたりしても放置して、他人の迷惑などまったく気にせず、叱ることをしない若い母親たちを批判した言葉です。

この言葉は差別より、皮肉、揶揄《やゆ》が大きく込められています。こうした母親は日本でも見かけますから、韓国だけのことではないようです。

かつて日本では、「オールドミス」（Old Miss）という、女性を差別した言い方がありました。結婚適齢期（この言葉も現在ではあまり使われません）を過ぎても未婚のまま働き続けている女性たちを指す言葉でした。実は韓国でも女性を差別する同じ言い方がありました。

しかし、女性の高学歴、社会進出が高まるなかで日本同様、今ではあまり使われなくなりました。それに代わって言われ始めた言葉があります。

○「ゴールドミス」（골드미스　コㇽドゥミス）

二〇〇八年頃から言われ始めました。三〇代の女性で、大卒以上の学歴があり、専門職に就き、大企業でばりばり働いている独身女性を指します。社会的地位も高く、高収入で経済的な余裕があるため、「オールド（Old）」を「ゴールド（Gold）」に置き換えたわけです。

職業を持った若い男性たちは、この「ゴールドミス」たちを羨望《せんぼう》、脅威《きょうい》などの目で見る傾向があり、「ゴールドミス」には差別的な意味より、やっかみ的な要素が強く含まれているように思います。

言葉は時の流れのなかで新しく生まれ、また消えていきます。女性への差別語も同様で、女性の社会的地位の変化、それに伴った人びとの意識の変化が大きく関わっていると言えます。そして、社会的に女性が差別されていると六〇％以上の人が感じ、男尊女卑社会とも言われている韓国ですが、男性の女性を見る目に変化の兆しが見え始めてきているのも確かなようです。

4　韓国の専業主夫

『家事をする男たち』、これは二〇一六年一一月から六回シリーズで、韓国で放送されたテレビ番組です。この番組が日本でもKBSワールドの国際放送で二〇一七年二月一〇日から放送されてちょっとびっくりしました。その理由は、人気男性タレントが家庭（奥さん）のために「主夫」となって、家事に取り組むというバラエティー番組で、それがほとんど時をおかずに日本で放送されたことと、「主夫」を積極的にアピールする番組だったからです。

日本では「イクメン」という言葉が、現在では違和感なく受け入れられているようです。「イクメン」とは、それ以前から使われていた「イケメン」（「魅力的」を意味する〝イケてる〟と、顔を意味する「面」、あるいは英語で男を意味する「ｍｅｎ」との合成語）をもじった言葉ですが、最初、この言葉を知ったときには頭がこんがらかって、よく理解できなかったことを覚えています。「育児」と英語で男を意味する「ｍｅｎ」を合成して、「積極的に子育てをする男」が「イクメン」というわけです。
ついでに言えば、この「イクメン」、二〇一〇年の新語・流行語大賞の第一〇位に入っていました。日本では、二〇〇九年に改正された育児・介護休業法が施行されたり、二〇一〇年には、男性の育児休業取得促進を図るため「イクメンプロジェクト」が動き始めたりと、社会全体が「イクメン」への認識度を急速に高めていったことが、流行語大賞一〇位につながり、日本の人びとに受け入れられたのでしょう。

ところで、この「イクメン」と似たもので、最近は「主夫」という言葉もときどき見かけます。漢字だからこその文字遊びがあって、私は大変面白いと思っています。韓国ではハングルですので、文字遊びはできず、「主夫」に相当する表現は、「男性専業主婦」（ナムソンジョノプチュブ 남성전업주부）、あるいは「専業夫」（チョノプナムピョン 전업남편）などが用いられます。ちなみに韓国に「イクメン」という言葉はありません。

この「イクメン」、仕事内容としては「主夫」の一部になっていますが、「主夫」とはイコールではないでしょう。なぜなら、これまで一般的に使われてきた「主婦」と完全に逆転したのが「主夫」で、仕事内容は育児だけではないからです。そのためでしょうか、韓日両国とも実態として「主夫」は確かに存在していますが、言葉としては「主夫」「男性専業主婦」「専業夫」、いずれもまだ市民権は得られていないようです。

冒頭に紹介しました韓国のテレビ番組は、目新しさを狙《ねら》ったこともあるでしょうが、「主夫」となっている男性が韓国社会に増えてきている現実を反映していると思います。

これを証明するように、二〇一七年一月三一日、韓国の『中央日報』(중앙일보)は、韓国での「専業主夫」が二〇一六年には一六万一〇〇〇人に達し、家事には一五万四〇〇〇人、さらに育児も行っている者が七〇〇〇人だったとの記事を掲載していました。

この記事によりますと、二〇〇三年に「主夫」は一〇万六〇〇〇人で、その数は二〇一〇年まで増加し続け、二〇一一年から減少に転じたとのことです。ところが、二〇一五年からふたたび増加し始めて、二〇一六年には示したような数字に達し、二年間の増加率は二四%だったそうです。

それでは「専業主婦」の数はどうかといいますと、

二〇一三年　七二九万八〇〇〇人
二〇一四年　七一四万三〇〇〇人
二〇一五年　七〇八万五〇〇〇人
二〇一六年　七〇四万三〇〇〇人

となり、こちらは確実に減少傾向にあります。

「主夫」数が減少傾向にあった二〇一一年から二〇一四年の三年間でも、「主婦」数は減り続けていました。

これらの統計で何らかの結論を出すのは困難ですが、韓国の経済的な停滞による就職困難者、非正規社員の増加といった社会的な背景があるのは予想がつきます。また二一〜三〇歳代の高等教育を受けた女性たちの社会進出が増加し、男性を凌ぐ待遇を得る女性も増え、家庭に入るのが遅くなったり、ためらったりする女性の増加も一因としてあるようです。

一方、三〇歳代後半〜五〇歳代の女性は夫の収入だけでは教育費、住居費などの生活費が不足しているため、働き場所を求めて、社会進出をしているからだと推測されます。ただし、仕事をする女性は増えていますが、雇用条件や仕事の質が良いとは言えません。

「主夫」の増加と「主婦」の減少は必ずしも連動していません。ただし、妻が家計を助ける程度のパートやアルバイトではなく、正社員になりますと、夫が家事の一部を分担する「兼業主夫」につながっていかざるを得ないでしょう。そのためには夫に妻への理解と協力をする意志があるという条件がつきます。そうでないと、家事・育児の分担をめぐって両者に不平、不満が積み重なり、やがては「離婚」にまでつながりかねません。

ただ、私の周囲の男性たちを見るかぎり、「兼業主夫」と呼べるかわかりませんが、それなりに家事を手伝っています。私の兄や弟なども、食事のあと片付けは自分の役割と思っているようで、韓国の高齢者に多い、伝統的な家父長意識が若年層になるほど薄らいできているのは確かです。

一方で、気になる点が二つあります。一つは、「専業主夫」に違和感を覚えない男性が大学生を中心に増えてきていることです。男女平等観から「男は外で働き、女は家を守る」にこだわらなくなった意識の変化が一因としてあるのでしょう。それ自体は悪くないと思います。ところが、数年前に実施された、ある結婚紹介所の調査では、母数は小さいのですが、およそ七〇%の女性が「専業主夫」に反対していました。おそらくこの傾向は現在も変わっていないと思われます。これが二つ目です。

私は「専業主夫」となるには、やはり能力が必要だと思っています。食器洗い一つにも細かな配慮が必要でしょうし、ましてや育児となればなおさらでしょう。私は決して家父長制支持者ではありませんが、男性が外でバリバリ仕事をこなす姿を〝かっこいい〟と感じる方ですから、家に一日中いて、家事をする男性を想像しますと、あまり魅力を感じません。

社会変動や経済状況の変化が社会の仕組みを変えていくのは当然ですし、考え方や意識もそれにつれて変わっていくものだと思います。女性の社会進出、社会的地位の向上、家族を支えられる収入など、いずれも現在、韓国の女性たちが徐々に手に入れ始めています。ただ、「専業主夫」「兼業主夫」を維持していくには、夫婦間だけで解決できるというほど、事は単純ではないでしょう。「専業主夫」や「兼業主夫」が一般名詞として、日常使われるようになるには、社会全体でこうした形態の夫婦や家族を抵抗なく受け入れる素地《そじ》を作り上げるのが先決でしょう。

日本には一九五〇年代末から一九六〇年代に「エプロン亭主」という言葉があったとのことです。エプロンをつけて料理を作る夫を指していたもので、仕事を持った男性が料理を作ったり、家事をしたりするのが珍しかった時代でも、家事・育児に追われる妻を助けようとしていた夫たちがいたことを教えてくれます。

私は「専業主夫」や「兼業主夫」を否定しませんが、そこに至るためには、まず働く女性（妻）の気持ちに寄り添って、男性のできる家事を背伸びせずに手伝うのが良いのではないでしょうか。家族の収入を夫婦いずれかが得ていても、二人の協力なしに家庭を保つことなどあり得ないのですから。

夫婦がお互いに相手をカバーし合う、思いやりの精神があれば、いつの日か「専業主夫」に反対する女性の割合も減って、働く女性への支援体制も充実していくに違いありません。

私は是非そうなってほしいと願っています。

5　英語から生まれた新語を覗く

　韓国では英語表現の頭文字をそのまま組み合わせたり、その発音をハングルに置き換えたりして、一つの意味や概念を表す言葉が生まれてきています。一種の流行語とも言えますから、やがて消えていくのか、あるいは使われ続けるのか定かではありません。

　たとえば、二〇一七年にＢＴＳ（防弾少年団）が歌った「悩みよりＧＯ」に出てくる歌詞「ＹＯＬＯ」（욜로）がそうです。「ＹＯＬＯ」とは、「You Only Live Once」のそれぞれの単語の頭文字を取ったもので、「人生は一度きり」という意味です。

　この「人生は一度きり」という言葉が若者たちに受けいれられたのは、なんとなく理解できるような気がします。おそらく日本の若者も同様だと思いますが、これからの自分の人生をどのように歩いていけばよいのか、まだ掴《つか》めていない人が多いに違いありません。やり直しはできない一度きりの人生には不安が渦巻き、自信を持てない自分が常にそばにいます。どう生きるべきなのか、できれば知りたいと願っているはずです。そのようなときに「人生は一度きり」が何度も繰り返される歌が聞こえてくれば、「おやっ」と耳を傾けてしまうのは当然かもしれません。

この「人生は一度きり」という言葉だけを取り出しますと、「だからしっかり将来に目を向けて、失敗しないように着実に生きていこう」という解釈もできそうです。ところが、この歌では「ＹＯＬＯ」と一緒に「タンジンヂェム」（탕진잼）という言葉も多く登場します。

「タンジンヂェム」の「タンジン　탕진」とは、漢字で表記しますと「蕩尽」です。日本語では「とうじん」と読み、「お金や財産などを使い果たす」意味で使われます。そして、「ヂェム　잼」は面白さとか楽しさの「ヂェミ　재미」を短縮した表現です。つまり「タンジンヂェム」には、お金を使い果たして、なんだかストレスが消えて楽しいよ、という、ちょっとしたお遊び気分や、からかいが込められています。

現在、韓国の若者たちには、日本と違って希望する企業や職業に就くことがたいへん難しい状況が続いていて、経済的にあまり恵まれていません。そんな彼らがお金を使い果たすといっても、その金額は知れたものです。

こうして「ＹＯＬＯ」と「タンジンチェム」が一緒に使われることで、「人生は一度きり」の意味が「しっかり将来に目を向けて、失敗しないように着実に生きていこう」ではなく、「将来のことはあまり考えすぎずに、いまこの時を楽しく生きよう」と呼びかける歌になるわけです。〝小さな幸せへの共感〟が若者たちに芽生えていることを、この歌は教えてくれているのかもしれません。

しかし、そうは言っても、やはり厳しい就職戦線を生き抜かなければならない若者が多いという状況は変わっていませんから、次のような言葉も一方にはあります。これも若者、特に学生たちに通じる共通語だと思われます。

「ＮＧ족　ＮＧジョク」がそれです。

「ジョク 족」の漢字は「族」です。「ＮＧ族」の「ＮＧ」とは、「No Graduation」の略で、「卒業なし」という意味の英語表記の頭文字を取ったものです。

韓国では、日本の〝就活〟事情と異なっていて、大学三年生になってから始めるというわけではありません。企業側も大学三年生になって、初めて就職希望者に対応するわけではありません。〝就活〟は入学時からでも、大学卒業後もでき、企業側に〝新卒に限る〟などという制限を設けているところはほとんどありません。ですから、大学卒業後、長く就職浪人を続ける人も少なくありません。それは希望する企業に就職する、言い換えれば、安定した身分と高い給料が保証された企業を狙っているからです。

ＮＧ族は、卒業できる資格を持っていながら敢えて自分の意思で、就職ができるまで（一般的に仕事の内容で選ばず、ブランド志向が強い）卒業せずに、学生として学校に留まる人たちのことを指します。日本では長期留学のために休学する学生はいますが、就職を目的として、卒業できるのに卒業しない学生はあまりいません。

新卒者で希望する企業に就職できる若者が四割に満たないと言われる韓国の厳しい就職の現状が反映されています。

ところが、こうして厳しい就職戦線を突破して目指す企業に就職したあと、積極的に行動しようとせず、口先だけの人も出てくるようです。そのため、次のような言葉が現われるのでしょう。

「ナトジョク 나토족」（ＮＡＴＯ族）がそれです。

「ナト」（ＮＡＴＯ）といってもアメリカとカナダ、それにヨーロッパ諸国で結ばれた軍事同盟の「North Atlantic Treaty Organization」（略して「ＮＡＴＯ」）、つまり「北大西洋条約機構」のことではありません。こちらは「No Action Talk Only」の頭文字をとって、それに「族」をつけた言葉です。

ある事態に対して、言うだけで行動しない会社員たちを揶揄《やゆ》するもので、この言い方、実は韓国の会社員だけの専売特許ではなく、日本でも一部で使われています。しかも、会社員だけでなく、広く人間の生き方に対しても使われていて、もちろん否定的な意味になります。実行が伴わない人が嫌われるのは、韓日両国とも同じでしょう。「不言実行《ふげんじっこう》」や「有言実行《ゆうげんじっこう》」といった言葉には好感が込められていることからもわかります。

一方、韓国社会での働き方も日本と同様に変化が生じてきています。それは工業化社会から、情報を集め、それを分析、集積して新たなものを生み出す頭脳労働を主とした情報化社会への転換です。こうした働き方の変化から生まれたのが、

「ノマドゥジョク」(ノマド族)です。

ハングル表記では「노마드족」となります。「ノマドゥ」(nomad)とは、〝遊牧民〟〝浮浪者《ふろうしゃ》〟を指す英語です。定住地を持たずに放牧に適した土地を求めて移動する遊牧民に喩《たと》えたものです。

パソコンなどＩＴ機器を持ち、決まった会社やオフィスに出かけることなく、ＩＴ機器が使える場所を自由に選択しながら仕事する人たちを指した言葉です。こうした人びとの仕事を可能とするには優れたネットワーク環境が必要で、韓国は日本以上に優れています。無線ラン（Wireless LAN）なども、店内に「Wi-fi（Wireless Fidelity）使えます」などと、わざわざ張り紙が出ていなくても、ほとんどのお店で使うことができます。

彼らの仕事場所は決まっていませんから、喫茶店やファーストフード店などがよく使われます。つまり、ＩＴ機器が使える場所ならどこでも仕事ができるわけです。混み合う電車にも乗らず、決まった時間に出社する必要もない仕事のスタイルが韓国にも根づき始めています。

この「ノマドゥ族」（노마드족）が喫茶店やコーヒーショップでよく仕事をすることから、「コピス族」（코피스족）とも呼ばれます。これは英語の「Coffee」と「Office」を合成して「コピス」（코피스）とし、これに「ジョク」（족 族）をつけた言葉です。「コーヒーショップで仕事をする人」といった意味です。

ところで、「ノマドゥ族」（노마드족）も韓国だけでなく、日本でも「ノマド族」として、まったく同じ概念で使われています。それだけ産業構造が似ているからでしょう。

社会の現状を言い表す新しい言葉が次々に生まれてきていて、しかも、韓日両国で共通した意味、発音までほぼ同じという新語が出現してきています。

こうした言葉の共通化が進んでいけば、韓日両国の人びとの理解がいっそう深められていくのではないでしょうか。

6　ガラスの天井

「ガラスの天井」という言葉、日本で比較的記憶に新しいのは、アメリカ大統領選挙でトランプ氏に敗れたヒラリーさんが、支持者を前にこの言葉を使ったときでしょう。「極めて高くて、強固なガラスの天井が打ち破られませんでした。でもそう遠くない将来、誰かが実現してくれるはずです」と演説したことがマスコミなどで取り上げられていました。ヒラリーさんには、女性に対するアメリカ社会に存在する差別意識への異議申し立てがあったと思われます。

でも、日本ではこの言葉、マスコミなどでもそれほど多く登場しなかったようです。そのせいか、流行語には敏感な学生たちの口からもほとんど聞こえてきませんでした。

それでは、「ガラスの天井」とは?

英語の「glass ceiling」の訳語です。働く女性が職場でその女性の資質や成果が評価されず、昇格・昇進が妨げられている状況を指す言葉です。ただ、ヒラリーさんが使った

「ガラスの天井」には、マイノリティー差別なども含んだ、大きな女性差別の意味があったと思われます。

ところで、韓国では、この「女性に対する差別意識」が日本以上に強く存在しています。私が日本で生活しているだけに、いっそうそれを強く感じるのだろうと思います。

韓国には「ガラスの天井」という言葉を持ち出すまでもなく、伝統的な家父長意識が依然として色濃く残っています。生活そのものに浸透していますから、家庭の外で働く女性に対して、さまざまな障壁《しょうへき》が立ちはだかるのは当然かもしれません。

二〇一七年三月八日の「世界女性の日」に、国際労働機構（ＩＬＯ）などの資料に基づいて『フィナンシャル・タイムズ』（Financial Times）が公表した韓国の男女の賃金格差は、二〇一五年で三七％だったそうです。つまり、韓国の女性は男性に比べて約四割近くも賃金が安いことになります。

平均的数字とはいえ、女性が上級職位に就き、高額賃金を得る人が大変に少ないこと、また出産・育児などによって職場を離れざるを得ないケースが多々あることが数字から窺《うかが》えます。

一例を挙げますと、韓国統計庁が二〇一七年二月二七日に「二〇一五年人口住宅総調査」を公表していますが、職場からの退職理由として、結婚時より妊娠・出産を機に退職した女性の割合が高く、特に三五～三九歳では四三・四％にも上昇しています。

会社勤めの三〇歳代は、これから上級職位へ昇っていく年齢で、男性は結婚してもそのまま勤務を続けられますが、女性は育児に時間が取られ、子どもの面倒を見てくれる家人もいない、保育施設などにも預けられないとなれば、退職、あるいは休職に追い込まれてしまいます。

この数字からは、いま述べた出産・育児という状況で働く女性をサポートする社会的制度や仕組みが整備されていない韓国社会がいみじくも映し出されています。

また二〇一七年一〇月一九日の『中央日報』（중앙일보 日本語版）には、アメリカのコンサルティング会社マッキンゼー社（McKinsey & Company, Inc）の調査を参考に、韓国の「女性役員の比率」が、男性一〇人に対して一人で、なんでもアメリカやオーストラリアの七分の一以下だったとの記事がありました。

ところが、二〇一七年七月二四日付けの『ハンギョレ新聞』（한겨레신문）には、「女性長官三〇％「ガラスの天井」破る道しるべに」という社説が掲載されていました。

文在寅《ムンジェイン》（문재인）大統領が長官（大臣）の三〇％を女性に割り当てるという公約を掲げ

ていて、公共機関での女性幹部登用の拡大が一般企業に存在する「性」格差の解消につながり、韓国社会の「ガラスの天井」を破る道しるべになることを期待するというものです。

この公約実現に向けて、文在寅大統領は外交部長官に康京和《カンギョンワ》（강경화）氏、環境部長官に金恩京《キムウンギョン》（김은경 二〇一九年から男性の趙明来《チョミョンレ》 조명래）氏、女性家族部長官に鄭鉉栢《チョンヒョンベク》（정현백 二〇一九年から李貞玉《イヂョンオク》 이정옥）氏、国土交通部長官に金賢美《キムヒョンミ》（김현미）氏、雇用労働部長官に金榮珠《キムヨンジュ》（김영주 二〇一八年から男性の李載甲《イジェガプ》 이재갑）氏、国家報勲処長（長官級）に皮宇鎭《ピウジン》（피우진 二〇一九年から男性の朴三得《パクサムドゥク》 박삼득）氏、中小ベンチャー企業部長官に朴映宣《パクヨンソン》（박영선 二〇一八年から）氏、法務部長官に秋美愛《チュミエ》（추미애 二〇二〇年から）氏など女性を大臣に任命しました。

社説はさらにこうした文政権の積極的な女性登用が、韓国の企業や公的機関にありがちな〝彩りを添える〟程度という発想の転換になることを期待していました。

確かに韓国は男性と比べて賃金、雇用率、上級職者数など、いずれも「ガラスの天井」指数は、二〇一七年三月現在、経済協力開発機構（ＯＥＣＤ）加盟国三五カ国中で最下位という不名誉な地位に甘んじています。ちなみに日本も「ガラスの天井」指数は韓国に次いで二番目の悪さです（『中央日報日本語版』）。

つまり、女性の社会進出を妨げる「ガラスの天井」がもっとも頑丈《がんじょう》な国、それが韓国というわけです。この「ガラスの天井」指数は、賃金、雇用率、上級職者数だけでなく、高等教育と企業等への参加率、賃金と育児費用、女性と男性の育児休業といった一〇項目によって判定されたとのことです。

なお、世界経済フォーラム（WEF）の二〇一八年版報告書によりますと、韓国の男女格差指数は一四九カ国中、一一五位と二〇一六年からわずかに一つ順位を上げただけでした（日本は一一〇位）。韓国社会の男女平等実現はもはや先送りできないところに来ています。

でも、私が気になったのは、『ハンギョレ新聞』社説が政府と公共機関が女性の差別的雇用慣行の改善に積極的に乗り出すことで、手本を見せれば企業も社会全般の雰囲気も変わるだろう、と結んでいることでした。

政府が差別的な雇用慣行を改めたという手本を示せば、企業や社会全般の雰囲気が変わるとするのは、あまりにも安易で、楽観的過ぎるように思います。

つまり、単に女性を雇用するだけでは、韓国の「ガラスの天井」指数は下がりはしないからです。その女性にとって、どれだけ働きやすい環境を政府や公共機関が整えられるのか、制度的な平等だけでなく、意識変革がどれだけできるのか。それを手本として、どのように国民に実践してみせられるのか、それらの実行がなければ、とても「道しるべ」などにはならないだろうと思うからです。

女性にとって「安心して働ける環境」を整えるためには職場での女性差別意識の排除《はいじょ》は当然でしょう。でも、もっと根源的で、決定的なことがあります。それは女性には出産、そして、一定期間の育児という男性とは大きく異なる点があることです。こうした男女の違いを乗り越えて、女性が家庭と両立させて働ける環境、制度上の整備ができてこそ、初めて女性の「安心して働ける職場」へと繋がっていくのでしょう。

そのためには、出産・育児に男性も参加できる制度だけでなく、日々の家事にも男性が関わり、さらには医療・介護等々あらゆる面での男女共同参画が当たり前となる意識大変革が必要になると思います。

すべての女性が安心して出産が可能となる、女性を優先させる意識の変革が韓国には求められています。その上で、制度的に整備された社会が実現されれば、「ガラスの天井」を打ち壊すことにつながっていくはずです。でも、現在の韓国社会を眺めると、私のこのような思いは単なる絵に描いた餅になってしまう恐れは否定できません。

そうだとすれば、文大統領に直訴《じきそ》したくなります。「男性にはできない『出産』が可能なのは女性だけなのですよ」と。

7 韓国版「Me Too」運動

「MeToo」運動は、ついにノーベル文学賞を選考するスウェーデン・アカデミーにまで及んで、二〇一八年の「ノーベル文学賞」発表が見送られました。発端は「ノーベル文学賞」を選考するスウェーデン・アカデミー会員の一人である詩人のカタリーナ・フロステンソン（Katarina Frostenson）の夫の行状《ぎょうじょう》でした。彼は過去二〇年間にわたって一八人の女性にセクハラを行っていたと、二〇一七年一一月に新聞で暴露されました。

社会的な格差が少ないスウェーデンですら、スウェーデン文化界で重鎮《じゅうちん》といわれるこの男性の二〇年間に及ぶ多くのセクハラ行為に対して女性たちが沈黙してきたのです。それだけ、この問題への対処に女性たちがいかに慎重にならざるを得なかったのかがわかります。

この男性の性的暴力はスウェーデン・アカデミーの施設内に留まらず、ノーベル賞授賞晩餐会でも行われていたとのことで呆れるばかりです。さらに地位や権力を持つ人間が自分の意思に沿わない相手への常套《じょうとう》手段として、性行為を拒否した女性に「仕事ができないようにしてやる」と脅《おど》していたそうで、怒りを感じます。

そして、彼がスウェーデン・アカデミーと密接な関係にあったことが「ノーベル文学賞」発表見送りにまで至ってしまったわけです。

「ノーベル文学賞」が一年先送りになったのは残念ですが、セクハラ問題があからさまになったのは、スウェーデン・アカデミー内での自浄作用が働き、内部対立などの混乱が生じたからでもありました。

「MeToo」運動は、その意味ではハラスメント問題を表面化させる何よりも大きな力です。しかし、暴かれた加害者が否認したり、その人物が所属する組織が事件を隠蔽したり、加害者を擁護《ようご》したり、特権であやふやなまま収束させようとする構造がつきまとうのも事実です。

日本で二〇一八年に起きた福田淳一《じゅんいち》財務事務次官のセクハラ問題も、発端《ほったん》は女性記者の訴えが公にされたからでした。福田事務次官を擁護《ようご》し続けた財務省も彼のセクハラ行為はあったと認めざるを得なくなりました（本人は認めていません）。そして、麻生財務大臣は「セクハラ罪はない」などと発言していましたし、なによりも〝うやむやのまま〟事態を収束させ、本人の辞任で決着させてしまいました。こうした事態を打ち破るためにも「MeToo」運動が大きなうねりとなっていく必要があると思っていますが、日本ではその動きが鈍いように見受けられます。

一方、韓国では日本以上に〝家父長的意識〟を持つ人が多いのは確かです。それが良い面で表れれば年長者を敬い、礼を尽くした言動にもつながります。また、子どもたちが年老いた両親の面倒を見ることも、ごく当たり前に行われています。しかし、悪い面では年長者には服従しなければならず、女性は男性より下位に見られ、男性の付属物のようにも考えられがちです。

ですから、女性が社会的に弱者の立場に置かれることが珍しくありません。男尊女卑的な思考が社会でまかり通っているため、女性への社会的な差別（雇用待遇や組織内での昇格等）は、今でも多くの組織に存在しています。

そのため、セクハラ行為を加えられても、被害を受けるような〝何か〟がその女性にあったからなどと、まるで被害者が悪いように批判する傾向が強くありました。つまり、セクハラを告発することは恥であるばかりか、被害者が追いつめられてしまうと見られてきたのです。
少し古い記事ですが、二〇一三年三月二三日、韓国の『中央日報』（日本語版）は、すでに次のような「社説」を掲載していました。
韓国ではよく知られていた人権運動家で大学教授の高恩泰《コウンテ》（고은태）は、国際人権団体「国際アムネスティ」（Amnesty International）の最初の韓国人国際執行委員でした。その彼が二〇代の女性に裸の写真を送ってほしいなどとセクハラ行為をしたことに対する批判文章です。

「誤った性文化は時代錯誤的な認識から始まる。性の役割と性逸脱の基準が急激に変わったが、一部の指導層の認識は過去の家父長的な文化、売春が許された世の中にとどまっている。覚醒《かくせい》しなければ、常に恥と刑事処罰を覚悟しなければならない時代だ」

しかし、韓国のその後の状況は何も変わりませんでした。二〇一七年一〇月五日に『ニューヨーク・タイムズ』（The New York Times）が、二〇一五年から性的虐待を行っていたという映画プロデューサーのハーヴェイ・ワインスタイン（Harvey Weinstein）のセクハラを告発したことから始まった「MeToo」運動にも韓国はほとんど反応しませんでした。

ところが、二〇一八年二月、女性検事の徐志賢《ソジヒョン》（서지현）氏が上司による八年前のセクハラ被害を検察内のインターネット上で公表したことで、状況が大きく変わりました。変化した理由は、検察がすぐさま性犯罪調査委員会を発足させ、この検事をわいせつ罪で起訴したからです。なぜなら、これまでは訴えた女性が非難されたり逆告訴されたりと不利益を被《こうむ》ることが多かったのですが、社会が性犯罪に注目し、被害を受けた女性たちが実名を公表しても不利な状況に追い込まれないという安心感がもたらされたからです。

韓国では、「MeToo」運動が社会全体に広がる様相《ようそう》を見せてきています。法曹界《ほうそうかい》から文化、芸術、芸能界へ、そして教育、政界にまで及んでいます。ざっと挙げるだけですが、以下の人たちが名指しされて糾弾《きゅうだん》され、その責任が問われています。

・ノーベル文学賞候補として名前が挙がったことのある詩人・高銀《コウン》（고은）
・演出家として数々の演劇賞を受賞してきた李潤澤《イユンテク》（이윤택）
・大学教授で俳優の趙珉基《チョミンギ》（조민기）。彼はその後、自殺しました。
・俳優の呉達秀《オダルス》（오달수）

・俳優の曺在鉉《チョジェヒョン》（조재현）

・文大統領が所属する「共に民主党」の忠清南道知事・安熙正《アンヒジョン》（안희정）

わずか二か月ほどの間に社会的に権力、名声、地位のある人たちの立場を利用した性犯罪に対する告発が次々に起きています。そして、こうした「MeToo」運動に恐れを抱いたのか、告発されていないにもかかわらず、みずからセクハラを公表した俳優の崔一和《チェイルファ》（최일화）のような人物まで現れてきています。

まるでこれまで抑圧《よくあつ》され、忍耐に忍耐を重ねてきた女性たちの怒りが一気に爆発したかのようです。そして、日本政府と大きく異なるのは、政権トップが「MeToo」運動を積極的に支持していることでしょう。

二〇一八年二月二六日に文在寅《ムンジェイン》（문재인）大統領は、政府があらゆる手段で社会にはびこっている女性への抑圧、性暴力を根絶しなければならないと発表しました。さらに性犯罪に対し、司法当局が積極的に捜査するようにと指示し、被害者からの告訴がなければ検察が起訴できない親告罪《しんこくざい》の条項《じょうこう》が削除された二〇一三年六月以降の事件は、被害者の告訴がなくても積極的な捜査をするようにと要請しました。

このような空気が社会に溢れてくれば、女性たちも声をあげやすくなるのは言うまでもありません。特に私が強く感じるのは、韓国での「MeToo」運動の盛り上がりには、ただ、セクハラ行為を告発するだけではなく、韓国社会に伝統的に存在している女性蔑視から生まれた男性中心の性文化、権力や地位を利用した性犯罪への糾弾《きゅうだん》とその変革を求めている点です。それは文在寅大統領が「強者の男性が弱者の女性を力や地位で踏みにじる行為は、いかなる形の暴力であれ、いかなる関係であれ、加害者の身分と地位がどうであれ、厳罰《げんばつ》に処すべきだ」『ソウル聯合ニュース』（서울연합뉴스）と述べたこととも重なっています。

でも、それは韓国社会にはびこる男性中心主義の根がかなり深いことも、かえって示しているようです。それを証明するかのように、その後もセクハラ事件が起きています。

・「共に民主党」の釜山市知事・呉巨敦《オゴドン》（오거돈）。二〇二〇年四月辞任。

・同じ「共に民主党」のソウル市知事・朴元淳《パクウォンスン》（박원순）。二〇二〇年七月自殺。

「MeToo」運動を一つの足がかりとして、韓国に「男女平等とは何か」を考える気運がもっと盛り上がってほしいと願っています。

ただ、一点だけ自戒《じかい》を込めて言えば、現在、起きている「MeToo」運動は、もっぱら女性側から男性を告発する運動として取り上げられています。でも、ハラスメント行為は常に男性からだけではありません。私も女性の一人としてしっかり自覚しておく必要があるようです。

8　あなたのスプーンは何色？

「あなたのスプーンは何色？」と訊かれた日本の方は、たぶんその意味がわからないだろうと思います。でも、韓国人、特に若者は即座に反応するはずです。

これに関連して、二〇一九年のカンヌ国際映画祭で韓国映画初となる、最高賞のパルムドール（Palme d'Or）を受賞し、さらに二〇二〇年二月九日のアカデミー賞（Academy Awards）では作品賞など四部門で受賞した『パラサイト』（기생충）という映画は日本でもかなり取り上げられていましたから、ご存知の方も多いかと思います。

韓国では、二〇一九年五月三〇日に公開され、公開五三日で観客動員数が一千万人を超えたと言われています。韓国の人口が約五千万人ほどですから、いかに大きな反響を呼んだ映画であるのかがわかります。

この映画こそ、単純化して言えば、スプーンの違いを描いていると言えるでしょう。明る広い豪邸に暮らす富裕層と暗く狭い半地下で暮らす貧困層の家族をブラックユーモア的に描いた作品だからです。

つまり、現在の韓国社会で、ますます顕在化《けんざいか》してきている経済格差、不公正問題を、映画というメディアが衝撃的に取り上げたとも言えるのです。

二〇一六年頃に「ヘル朝鮮」(헬조선)という言葉が流行していました。「地獄のような朝鮮」という意味で、韓国社会の経済格差、就職難、社会的不公正などを揶揄《やゆ》していました。それに続いて「金の匙《クムスジョ》」(금수저)という言葉が注目され始めました(二〇一五年頃から言われ始めていました)。これについては本書一一七頁参照。

韓国では、いろいろな匙(「金の匙」「銅の匙」「土の匙」など。貧富の差によって差別化)を持ち出して、人生そのものが金持ちの家庭に生まれたか、貧しい家庭に生まれたかによって決まってしまうと言われています。ですから「金の匙」とは、親が最も経済力があって、恵まれた生活が送れる子どもの階層を指すことになります。

冒頭の「あなたのスプーンは何色?」とは、〝あなたの親の経済的なレベルはどのあたりで、どのくらいあなたの人生に関わり、また生活レベルの維持に役立っているの?〟といった意味合いが込められているのです。

かつてこの言葉が使われ始めた韓国は、朴槿恵《パクグネ》（박근혜）前大統領の時代でした。二〇一三年に就任以来、経済面では財閥に依存した韓国の経済構造から脱け出し、大企業に頼らないベンチャー企業や、中小企業育成などの改革を目指しましたが、思惑《おもわく》通りにはいきませんでした。そして、政治的スキャンダルなどで、二〇一七年三月に大統領弾劾《だんがい》が成立して罷免《ひめん》されました。

そのあとの文在寅《ムンジェイン》（문재인）大統領は社会的な平等、経済的な公正を掲げ、機会均等、公正な競争を推《お》し進めるはずでした。「三年間で最低賃金を一時間千円に引き上げ、雇用八一万人増、週労働時間短縮」が文大統領の経済政策の目玉でした。

確かに最低賃金はかなり高い水準にまで、強引に引き上げました。しかし、多くの雇用者側が採用を減らしたり、合理化をはかったりと、文政権が予想しなかった自衛手段に転じました。その結果、韓国統計局によると、二〇二〇年六月時点での若者（一五～二九歳）の失業率は一〇・七％に達してしまいました。そして、潜在的求職者《せんざいてききゅうしょくしゃ》まで含めた体感失業率は二六・八％で若者の四人に一人が失業者ということになっています。

文大統領が予測した経済状況とは大きく異なり、好転しないまま、そのしわ寄せが若者に集中してしまいました。

こうして、韓国社会での勝ち組と負け組がよりはっきり現われ、高所得層と低所得層の所得格差は、朴槿恵前大統領の時代よりさらに悪化してしまっています。

さらに若者に失望感を与え、怒りに向かわせたのが曺国《チョグク》（조국）前法務部長官をめぐる汚職疑惑でした。

二〇一九年八月に法務部長官候補として文大統領から指名されたのち、娘の高麗《コリョ》（고려）大学不正入学疑惑や私募《しぼ》ファンドへの不正投資問題などが表面化しました。九月二日の緊急記者会見では疑惑を全否定しましたが、九月六日夜には曺国の妻で東洋《トンヤン》（동양）大学教授の鄭慶心《チョンギョンシム》（정경심）が私文書偽造容疑で在宅起訴されました（一〇月二四日に逮捕）。

それでも文在寅大統領は九月九日に曺国を法務部長官に任命するという、あまりにも側近重視人事を強行しましたが、就任からわずか三五日目の一〇月一四日に辞任を発表しました。

朴槿恵政権崩壊の要因の一つとなった崔順実《チェスンシル》（최순실）事件では、崔順実の娘の不正入学疑惑を強く批判し、韓国の学歴社会を批判していた曺国が同じようなことをしていたわけです。彼はむいてもむいても疑惑が出てくることから「タマネギ男《ヤンパナム》（양파남）」などとも揶揄《やゆ》されましたが、この汚職疑惑は文政権を支持してきていた若者に失望感を与えまし

た。

たとえ大学を出てもまともに就職できず、生活に苦しむ多くの若者に、裕福な親を持つ者がその親の地位と資産の助けによって、さらに優位に立つという不公正、不公平な実態を、信頼し、支持してきた文政権内部から見せつけられる結果になってしまったのです。社会的、経済的公正を公約に掲げて政権の座に就いた文在寅大統領でしたが、格差は拡大し、韓国の若者にはむしろ将来への不安を増大させる結果になってしまいました。

こうして、今や低所得世帯の出身者を意味する「土のスプーン」(흙수저)組と、裕福な家庭の出身者を示す「金のスプーン」(금수저)組という言葉が日常的にだけでなく、政治的にも使われるようになっています。

「金のスプーン」「土のスプーン」が一時的な流行語として、文大統領が就任した二〇一七年頃は、やがて消えていくはずのものだったのですが、現在の韓国には「スプーン階級論」(수저계급론)という言葉までが定着してしまいました。もちろん「親の職業や経済力が子どもの人生を決定し、本人の努力だけでは社会的に上の階層に行くことができない」という捉え方です。

このように見てきますと、映画『パラサイト』のアカデミー賞受賞は韓国映画界の快挙と言え、喜ばしいことですが、単純に喜んではばかりいられないのです。

特に文大統領はこの映画をみずからに与えられた貴重な教材として受け止め、国民の関心がどこに向けられ、何をしなければならないかを真摯《しんし》に学び取り、政策にきちんと反映させて欲しいものです。

9　文在寅大統領の「チョクパンハジャン」から思うこと

二〇一九年八月二日に安倍政権は輸出管理上の優遇対象国（いわゆるホワイト国。今後はこの言い方をやめてグループAと呼ぶそうです）から韓国を除外する閣議決定をしました。すると、韓国の文在寅《ムンジェイン》（문재인）大統領はすぐさま日本批判の声明を出し、「盗人猛々《ぬすっとたけだけ》しい」と強い調子で批判したことが日本のマスメディアでは大きく取り上げられていました。「盗人猛々しい」という表現は、日本語ではあまり面と向かっては使わない、かなり露骨に相手をけなす言い方です。ですから、いくら安倍政権の韓国への輸出管理上の規制が不当だとみなしても、こうした表現を一つの国を批判するときに使うのは、あまりにも冷静さを欠いていると思いました。もっとも、文大統領には日本向けというよりは韓国人向けへの力強いメッセージを出す必要があって、敢えてきつい表現を持ち出したという面もあったのでしょう。

そこで、文在寅大統領の発言の中で使われたという表現、実際にはどのように言ったの

かを調べてみますと、「적반하장　賊反荷杖　チョクパンハジャン」という韓国語の四字成語が、日本語では「盗人猛々しい」と訳されました。

　この四字成語は日本語にはありませんし、本家の中国語にもないようです。どうやら韓国製の四字成語で、私も韓国製とは知りませんでした。私自身はおそらく使うことのない表現です。

　それでは、漢字を知らない韓国人はこの言葉をどのように理解したのだろうか（ちょっと変な言い方になりますが）と思ってしまいました。

　幸い私は日本語を学んだおかげで、漢字がわかりますから「賊反荷杖《チョクパンハジャン》」という四つの漢字から、おおよその意味の見当がつきます。「賊《チョク》」は「泥棒」や「犯人」、「反《パン》」は「反対」「逆」「かえって」、「荷《ハ》」は「かつぐ」「持つ」、「杖《ジャン》」は「つえ」「こん棒」といった意味がそれぞれの漢字にはあります。そのため、「チョクパンハジャン」という音が私の耳に入れば、「チョク」→「賊」、「パン」→「反」、「ハ」→「荷」、「ジャン」→「杖」というように漢字が浮かんできて、〝泥棒が反対にこん棒を持った〟といったような意味があるのだろうといった推測は、辞書を見なくてもおおよそつきます。

　韓国語辞書には「居直る」「道理に合わない」のほかに「盗人猛々しい」という解釈も

出ていました。でも、私の感覚では、今回の文大統領の言い回しは、「道理に合わない」といった意味の方がニュアンス的に近いように思います。

漢字を知らない韓国人に話を戻しましょう。特に若いハングル世代の人たちで「적반《チョクパン》하장《ハジャン》」から「賊反荷杖《チョクパンハジャン》」という漢字を思い浮かべることができた人は、ごく少数（個別に漢字を学習してきた人など）だったはずです。つまり、「チョクパンハジャン」を「賊反荷杖」として、その人の語彙体系の中に記憶、整理されていない限り、その人にはまったく意味不明な言葉になっていたはずです。

四字成語は日本でもそうですが、漢字の知識が求められる、かなり高度な表現方法です。ちなみに、韓国では長年にわたって漢字使用派とハングル専用派で論争が続いていますが、大きな流れは漢字不使用だけでなく、韓国語の中にある漢字語（日本語もかなり含まれている）を韓国の固有語に変えようという国語純化政策が強められています。しかし、その一方で、ハングル専用派でさえも、四字成語などは、漢字を知らなければ理解できないと認めています。

ハングルは一四四六年に朝鮮王朝時代第四代国王の世宗《セジョン》（세종）が「訓民正音《くんみんせいおん》」（フンミンジョンウム 훈민정음）として正式に公布したもので、漢字の素養がない「民《たみ》を訓《おし》える正

しい音」からその名がつけられました。つまり音を表すだけの表音文字です。

日本や中国で使われている漢字のように表意文字ではありませんから、文字を見れば、意味がある程度わかるというわけにはいきません。その点では欧米語と同じです。「報道」は韓国語では「ボド（보도）」という音ですが、漢字を知らなければ「報道」という漢字があることさえ知らないわけです。したがって、韓国の首都・ソウルがある「京畿道《けいきどう》」（キョンギド 경기도）という行政地区（「道」は日本の県、都、府に当たる）がありますが、この「京畿道」と「報道」に同じ「도《ド》」というハングルが使われていても、「道」という同じ漢字と気づかないまま、「ポドㅣ（보도）」「キョンギドㅣ（경기도）」と使っている人も多くいます。

私は韓国語の表記はハングルだけでなく、漢字も混ぜて表記した方が良いと考えています。私の経験からですが、確実に読解力が高まると思っているからです。

その点から言えば、今回の文大統領の日本批判に「チョㇰパンハジャン」という四字成語が使われ、日本では「盗人猛々しい」と訳されてしまったことは、日本でも冷静さが失われてしまっていたようです。

でも、この声明が韓国向けに重点が置かれていたと見る私からしますと、少々気になることがあります。

それは、文大統領の「チョクパンハジャン」が韓国の人びとにどれだけ正確に理解されたのかということです。文大統領の激しい日本批判という声明の雰囲気だけは十分すぎるほど理解され、それで文大統領の目指した自分への国民の支持を高めるという目的は果されたのかもしれません。

しかし、自分の使った言葉が漢字で、しかも四字成語や故事成語であったために、通じなかったり（実際、韓国のネット上には「チョクパンハジャン」とは、どういう意味か、という質問、検索が散見されました）、誤って理解されたり、ニュアンスを異にして理解されてしまったりしたら、それはいつしか自分に跳ね返ってくるのではないかということです。

すでに述べましたように、ハングル使用を主張している人びとでさえも、四字成語などは、漢字を知らなければ理解できないと認めています。

私は法律や医学、科学などの専門職領域はもちろんのこと、日常生活の言葉でも、その表現や言語内容をきちんと理解するためには漢字の完全な廃止は難しいと思っています。言葉の理解に奥深さと幅広さをもたらし、より豊かな言語世界を知るためには、むしろ一定程度の漢字教育を小学校から行う必要があるでしょう。

10　韓日で誤解を生みやすい言葉あれこれ

安倍政権が輸出管理上の優遇対象国から韓国を除外するや、韓国の文在寅《ムンジェイン》（문재인）大統領が韓国語では「적반하장　賊反荷杖《チョクパンハジャン》」という四字成語で強く批判したことはすでに書きました（本書一六九頁参照）。メディアを通して日本語でこのように訳された表現ですが、両国が友好的な関係であれば、言葉の使い方にもそれほどひっかからないと思います。でも、現在のようなぎすぎすとして、不信感が渦巻いているときには、互いに慎重な言葉使いが必要です。相手国が用いた言葉に対しては、感情的にならず冷静に、正確に翻訳しなければならないでしょう。

これに関連しますが、韓国で使われている言葉は、その七〇%ほどが漢字語（中国、日本からの借用と韓国独自のもの）です。つまり現在、韓国では漢字は使わず、ほとんどがハングルで表記されていますが、実は日本の方にも馴染みのある漢字がハングルに残っていることはすでに取り上げました（本書一五、六一頁参照）。ですから、発音してみたら日本語と同じ、意味も同じという言葉もあるわけです。

ところが、漢字表記は同じなのに意味が異なる言葉も出てきます。

よく例示されるのが「八方美人《はっぽうびじん》」です。

韓国語では「パルバンミイン 팔방미인」と発音します。日本語での「八方美人」は、その人の性格や特徴を表す言葉で、一般的には「誰に対しても、相手に嫌われないような言い方をしたり、態度を見せたりする人」のことを言います。そのため、日本では褒め言葉ではありませんし、「美人」が入っていますが男性にも使います。要するに〝信用できない人〟という意味で、否定的な表現です。

しかし、韓国では、あらゆる面から見て優れた能力を持っている人を指します。その人の性格よりも能力を表わすことが多く、大変なほめ言葉です。もちろん男性にも使います。

現在の韓日関係で考えますと、この「八方美人」のようにそれぞれ自国の意味で捉え、メディアで繰り返し流し、互いに誤解の連鎖を生じさせている面があるのは否定できません。

韓日関係のぎくしゃくした関係に拍車をかけたのが韓国の文喜相《ムンヒサン》（문희상）前国会議長（二〇二〇年四月で任期満了）が天皇への謝罪要求発言をしたときでした。河野太郎外務大

臣（当時）が「韓日議員連盟の会長まで務めた人間がこのようなことを言うのは（後略）」と国会で発言したことがありました。

このとき、韓国外交省が大変激しく抗議をしました。安倍政権内部では韓国外交省がなぜそれほど激しい抗議をしたのか、わからなかったそうです。

実は韓国は河野太郎外務大臣の発言にあった「人間」という言葉に強く拒否反応を起こしたのでした。韓国語の「人間」には、「人」という意味のほかに「輩《やから》」といった侮辱《ぶじょく》や見くだす意味もあったからなのです。

河野氏はもちろん「人」という意味で使い、侮辱や見くだす意味を込めていたわけではないでしょう（河野氏が韓国語の「人間」の意味を知っていたとは思えません）。ここには韓国側の河野氏の発言を韓国語に翻訳したメディア側（あるいはそこに所属する個人）の認識の低さがあります。そして、その訳語を疑いもなく信じ、冷静さを欠いてしまった文政権内部にも責任があります。実際、河野外務大臣の「人間」を「輩」ではなく、日本語の意味と同じ「人」と訳している韓国大手の新聞社もありました。ここには不信感の連鎖が生み出した不幸な〝誤解〟があったように思います。

この「人間」と同じように誤解が生じやすい言葉をいくつか挙げてみましょう。

たとえば、「用心《ようじん》」（ヨンシム 용심）などは、どのような文脈で使われているのか、慎重に取り扱わないといけない言葉です。

日本語では、一般的に「気をくばる、気をつける」「何か起きないように注意する」といった意味です。

韓国語でも「気をくばる、気をつける」という意味で使います。ただし、「人に嫉妬して、危害を加えようとする気持ち」という、まったく異なる意味としても使われる場合があります。

日本語と同じ意味もある一方で、日本語にはない、悪い意味でも使われるだけに、現在の両国の関係では外交上、慎重な扱い方をしないと、関係悪化を招く、危険な言葉になりかねません。

同じように自国語として使うときと、翻訳語として使う場合で、かなり神経を使わないといけない言葉に「多情《たじょう》」（タジョン 다정）があります。

韓国語では、「情《じょう》」が「多い」ということから、深い思いやりがあることを意味します。大変良い意味で使われて、悪い意味はありません。ところが、日本語では、情が深くて感じやすいという意味もありますが、「多情な青年期」などと使うように、「気分、感情」が

「多い」という意味が強くなる場合もあります。異性に対して心が移り気であるときにも使われますから良い意味になるとは限りません。

では、次の言葉はどうでしょうか。

日本語で「親分《おやぶん》」と言ったら、やくざの世界でいちばん上の人を指します。やくざに関係なくても、グループの上に立つ人を「親分」などと、親しみを込めて言う場合もないわけではありません。あるいは「親の代わりになる人」の意味で使う場合も、たまにはあります。いずれにしても人間の繋がりを指します。

ところが、韓国語での「親分」（チンブン 친분）は「親しいつき合い」という意味です。「親」は〝親密《しんみつ》〟という意味で使われていて、人間関係の濃密度を表わしています。

これに関連して日本語に「親日《しんにち》」という言葉があります。ここでの「親」は〝親密〟という意味で使っています。したがって「親日家」（チニルガ 친일가）、「親日派」（チニルパ 친일파）などと言えば、〝日本に親しみを感じている人〟という意味になります。

ところが、韓国の文在寅大統領はみずからの政治方針の一つとして「親日清算」（チニルチョンサン 친일청산）とよく言います。ここでの「親日」（チニル 친일）は〝日本に親しみを持つ〟という意味ではありません。文在寅大統領が使う意味は、日本の植民地として統

治されていた時代に日本の統治政策に協力した韓国人を指しています。つまり、彼が使う「親日」とは、〝裏切り者、売国奴《ばいこくど》〟のことです。ですから「親日清算」とは、〝植民地時代の日本協力者を摘発、排除する〟ということなのです。

このようにわずか数語の例示ですが、現在の韓日両国の険悪な関係を作り出すのに一役買ってしまった（あるいはその可能性がある）「同漢字での異義語」があって、翻訳の難しさを痛感させられます。

韓国の文化や歴史を日本に紹介している者として、日本の文化や歴史も深く理解しなければ、誤った理解に誘導してしまう危険性があることをあらためて思い知らされました。私たちの日常生活でも、相手に自分の考えをきちんと知ってもらうためには、それなりに説明の仕方に気を遣わなければならない場合が起きるのは、そう珍しくありません。同じ内容でも、言い方一つで、相手にすんなり受け入れられもし、逆に反発を買ってしまうこともあり得ます。

その意味では、現在、両国の指導者には、反論するにしても「売り言葉に買い言葉」方式ではなく、相手の心を少しでも和らげるような、伝え方の工夫をする気配りが求められているようです。

第三章　ことば・文化

1 「コングリッシュ」とは？

韓国に「コングリッシュ（Konglish 콩글리쉬）」という言い方があります。一部のお年寄りを除けば韓国人なら誰でも知っている言葉です。でも、この言葉を日本語に訳すとなるとちょっと厄介です。

これは「Korean」と「English」を合わせた合成語で、英語を母語とした人には理解不能の英語もどき、つまり韓国製英語のことです。日本にも「和製英語」という言い方があるようですが、日本の「和製英語」とも概念がまったく同じというわけではありません。「コングリッシュ」は〝英語圏の言葉〟が原則となっています。ですから、日本でごく当たり前に使われている「アルバイト」は、韓国でも「アルバイトゥ（아르바이트）」と言い、日本と同じ意味で使われています。でも、ドイツ語の「Arbeit」を語源としていますから「コングリッシュ」の範疇に入りません。このように日本で言う「外来語」と重なる要素も含んでいますが、同じではないことがわかります。

ところで日本では、外来語はどのように解釈されているのでしょうか。手元の『新明解国語辞典　第七版』には「もと、外国語だったものが、国語の中に取り入れられた言葉。「借用語」とも。〔狭義では、欧米語からのそれを指す。例、ガラス・パン・ピアノなど〕」とあります。

もう一冊の『大辞林　第三版』では「①他の言語より借り入れられ、日本語と同様に日常的に使われるようになった語。「ガラス」「ノート」「パン」「アルコール」の類。広くは漢語も外来語であるが、普通は漢語以外の主として西欧語からはいってきた語をいう。片仮名で書かれることが多いので「カタカナ語」などともいう。②伝来語。「借用語しゃくようご」に同じ」と説明されています。

日本語の語彙は、日本古来からの和語（大和言葉）を除くと、中国から伝来した漢語も厳密に言えば外来語だったわけです。でも、現在では「外来語」と言えば、欧米地域から入ってきた語を指すようになっていて、和語、漢語、外来語と分けるのが一般的です。

この点では、韓国語の語彙も「固有語」「漢語」「外来語」に分けられていて、日本の語彙分類とほぼ同じです。しかし、日本語と大きく異なる点があります。それは韓国では、日本語も外来語なのです。

一九一〇年から一九四五年までの三五年間、日本が朝鮮半島を侵略、支配し、皇民化《こうみんか》政策による日本人化が強制されました。その結果、韓国語に日本語が少なからず残り、今でもかなり使用されています。

日本での外来語は「カタカナ語」などとも呼ばれて、西欧語から入ってきた語とされていて、韓国の「コングリッシュ」のように、英語だけという限定的なものではありません。また、韓国の外来語には日本語も入りますから、たとえば、「おでん」は「오뎅」（オデン）、「とんかつ」は「돈까스」（トンカス）、「うどん」は「우동」（ウドン）となり、日本の外来語と異なり、必ずしも「カタカナ語」とは限りません。

ここでひとまず、「コングリッシュ」を整理しておきます。

①韓国製英語のため、英語を母語としている人には理解されにくい。
②英語だけで他の欧米語は除外される。
③日本での漢語を除くという狭義の外来語の概念と重なる部分があるが、
　同一ではない。

日本で外来語（カタカナ語）として日常生活に馴染んでいる言葉や語が韓国で同じように使われているケースがよくありますが、日本の発音では通じない場合が起きます。その理由は簡単です。「コングリッシュ」だからです。いずれにしても日本式カタカナ語と「コングリッシュ」は、どちらも英語を主言語とする人には通じないでしょう。例として、よく出されるのが「ハンバーガー」です。

「햄버거」（ヘムボゴ）、これが韓国での「ハンバーガー」の発音です。また日常生活で欠かせない「スーパーマーケット」も韓国では、「슈퍼마켓」（シュポマケッ）となります。ただ、韓国での発音方式に慣れてしまえば、意味は日本語と同じですから、用法としては困らないでしょう。

以下に「コングリッシュ」の特徴をよく示している語を挙げてみます。

프랑스（プランス）　↓フランス
프라이팬（プライペン）　↓フライパン
파이팅（パイティン）　↓ファイト
팬（ペン）　↓ファン
포크（ポク）　↓フォーク
티파니（ティパニ）　↓ティファニー

（ ）内のカタカナ表記だけで、「↓」の後に示した日本語の外来語が思い浮かぶ日本の方は少ないと思います。また、英語のF音がコングリッシュでは「ㅍ（プ）」となり、日本のカタカナ表記にすると、すべて「パ行」になってしまいます。

では、次のような例はどうでしょう。

콜라（コルラ）　↓コーラ
케익（ケイック）　↓ケーキ
샴푸（シャンプ）　↓シャンプー
택시（テックシ）　↓タクシー
미터（ミト）　↓メーター
땡큐（テンキュ）　↓サンキュー

発音を長く伸ばすのか、短く切るのかと韓国語初習学習者からよく質問されるのですが、韓国語（ハングル文字）には長音の表記がありません。ここに示したコングリッシュは、その韓国語の特徴が出ているもので、日本なら長音が入る外来語でも、長音を示す「ー」

がすべて消えています。
次の例もコングリッシュの特徴をよく示しています。

디저트（ディジョトゥ）→デザート
에어포트（エオポトゥ）→エアポート
투어가이드（トゥオガイドゥ）→ツアーガイド
화이트（ファイトゥ）→ホワイト
아티스트（アティストゥ）→アーティスト
디즈니랜드（ディズニレンドゥ）→ディズニーランド

日本語の外来語表記で語尾の発音が「ト」「ド」で終わる語は、コングリッシュでは「트」「드」のハングルが用いられる傾向があって、強いて日本のカタカナ表記にすれば「トゥ」か「ドゥ」となります。
そのほかに、日本では英語の「R」と「L」の区別がカタカナ表記にはありませんが、コングリッシュでもやはり区別はなく、すべて「ㄹ」（ラ行）の表記となります。

ただ、韓国語は日本語に比べて、母音も子音も数が多いため、コングリッシュの方がおしなべて日本でのカタカナ表記より英語発音に近い表記が可能になっています。

たとえば、日本のカタカナ表記ではすべて「ア」となってしまう表記が、ハングルでは「ㅏ（a）」と「ㅓ（eo）」の区別、「ウ」は「ㅜ（u）」と「ㅡ（eu）」の区別が可能となり、より原音に近い発音がコングリッシュの中に活かされていると言えます。

また「ㅔ」と「ㅐ」の区別も同じようなことが言えます。

このハングルの発音は英語の発音記号にしますと、「ㅔ」は「e」ですし、「ㅐ」は「æ」になります。日本のカタカナ表記ではどちらも「エ」になってしまい、「ア」と「エ」の中間とも言える微妙な発音の「æ」は、日本のカタカナでは表記しきれていないわけです。

ところで「コングリッシュ」は〝英語圏の言葉〟が原則と書きましたが、これはあくまでも原則で、例外がそれなりにあります。

たとえば、韓国から見れば外来語の日本語の外来語などがその典型です。つまり、和製英語のカタカナ表記が、そのまま使われているものが少なくありません。

今や生活で欠かすことのできない「テレビ」がそうです。韓国でも「테레비」（テレビ）

です。これは日本人が「television」を短縮して作り上げた和製英語です。ワイシャツも「ホワイトシャツ」から転じて、日本人が使い出した和製英語です。これもそのまま韓国に入り、「와이셔츠」（ワイショツ）として使われています。

またミシンは「ソーイングマシン」から転じて、これまた日本人が考え出した和製英語で、韓国でも「미싱」（ミシン）です。ただ、こちらは「미싱」とは言わずに「재봉틀（チェボントゥル）」（裁縫器《さいほうき》という意味）と言う人が多くなっています。

「アパート」は「アパートメント」を短縮した、これまた和製英語で韓国でも「아파트（アパトゥ）」と言います。ただし、概念が異なっていて日本のアパートの意味ではなく、マンションに近いでしょう。

このように日本で日本的にアレンジされたカタカナ表記語は、すでに英語圏の言葉ではなく、日本の言葉になっていると思います。したがって、韓国で語彙の分類をすれば、「コングリッシュ」というよりは、もっと広い概念として捉えている「外来語」とする方が良いと私は考えています。

こうした日本からのカタカナ語移入のほか、英語と韓国語を合成、さらには短縮したコングリッシュもあります。たとえば、「오피스텔（オピステル）」は、「オフィス」と「ホテ

ル」を合成した言葉で、炊事などもできて宿泊も可能な事務室を意味しています。また「디카（ティカ）」は、「디지털카메라（ティジトルカメラ）」の略語で、デジタルカメラの意味です。日本では「デジカメ」と略称されるのと発想は同じでしょう。「고시텔（コシテル）」は、「고시원（コシウォン 考試院）」という受験生用の勉強部屋と寝室が一緒になった宿泊施設とホテルから合成された言葉です。「コシウォン」と「コシテル」の区別はあまり明確ではありませんが、「コシテル」の方が多少設備が良く、個室内にシャワーやトイレが完備されている宿泊施設を指しています。

コングリッシュの説明として、これまで述べてきたことだけでは不十分です。しかし、これ以上は韓国語を理解していないとうまく説明できない要素もありますので、このあたりまでにしておきます。

ただ、すでに述べましたように、コングリッシュとは、英語圏の言葉が原則ですが、言葉は生活するなかで生まれてきます。そのため、原則から外れた〝コングリッシュもどき〟は今後も生まれくるに違いありません。

さまざまな思想や文化が世界中から流れ込んでくるボーダーなき社会がますます広がっ

ていく時代だけに、韓国のコングリッシュもますます多様化していくことが予想されます。

2 「先生様」と「さようなら」

「弊社の社長様が明日お越しになります」

「お父様が私（嫁）からの誕生日プレゼントをお受け取りになって『ありがとう』とおっしゃいました」

いきなりですが、ゴシック部分の日本語の使い方、どうでしょうか。「日本語がわかっていない」「教養がない」と烙印を押されてしまいそうです。かく言う私なども、この手の間違いはそう珍しくないのですが。

ところが、韓国では、この二つの表現は誰も文句のつけようのない、ごく自然体の表現なのです。ここには韓国と日本の「敬語」に対する考え方の違いがあります。

韓国語には日本と同様に、尊敬語や丁寧語の表現が少なくありません。そのため、時にはどう表現しようかと迷うことがあります。そして、尊敬語に関しては、冒頭の文例のように、日本語とはかなり大きな違いがあります。私が今でも韓国語と日本語がごっちゃになって、言い間違いをするのはそのためです。

韓日の尊敬語の使い方の違いをはっきりさせるために、冒頭の文を日本語として違和感のない表現にすれば、次のようになるでしょうか。

「弊社の社長が明日参ります」

「義父が私（嫁）からの誕生日プレゼントを受け取って「ありがとう」と言いました」

この違いが生じるのは、韓国語は「絶対敬語」、日本語は「相対敬語」を使っているからなのです。「絶対」とは、〝比べるものがない〟という意味ですから、「絶対敬語」とは、上下関係で上位の人（年齢、組織、親子など）のことを話題にする場合、話す相手が誰であっても尊敬語を使うという意味になります。

一方「相対」とは、〝比べるものがあり、両者が関わり合う〟意味ですから、「相対敬語」とは、上下関係で自分にとって上位の人のことを話題にしても、話す相手が誰かによって尊敬語ではなく、謙譲語など他の敬語を使うという意味になります。

つまり、韓国では、たとえ親のことであっても、話す相手にその行為を説明する場合には、冒頭のように「お受け取りになって」「おっしゃいました」という表現になります。日本語では、直接話す相手の存在を念頭に置いて、たとえ自分にとって上位の人物（両親や上司など）のことを話題にしても謙譲語を使い、自分側を低めて、へりくだった表現になるわけです。

日本語の敬語は常に話す相手を意識しながら使い分けますから、長年、日本で生活しているにもかかわらず、外国人の私には本当に難物です。韓国語の敬語用法は日本の方には奇異に映るかもしれませんが、慣れてしまえば日本語の敬語用法より単純だと思います。直接話す相手や「その場」は考えずに、話題となっている人物が尊敬語を使うべき対象であれば、すべて尊敬語でいいのですから。

「相対敬語」と「絶対敬語」の違いは、尊敬語を使う際の「自分」と「話す相手」と「話題にした人」への重きの置き方の違いということになるのでしょう。韓国の尊敬語では「自分」と「話題にした人」との〝上下関係〟を重く見ます。日本の尊敬語では「自分」と「話す相手」に重きが置かれ、「話題にした人」が「自分」より上位者であっても「話す相手」が重んじられるため、上下関係より〝横の関係（あるいは内と外の関係）〟が重んじられると言っていいかもしれません。

こうした〝上下関係〟を重んじる韓国には、「○○선생님（○○ソンセンニム）」という呼び掛け方があります。「선생（ソンセン）」は「先生」の意味で、「님（ニム）」は「様」です。ですから、直訳すると「先生様」となります。日本でこのように呼び掛けることはほとんどありませんし、むしろ〝変な表現〟になってしまいます。

でも、韓国では、学校の先生を呼ぶ場合には、「○○先生様」となります。会社でも上司から「○○部長（○○부장 ブジャン）」と役職名だけで呼ばれることはあっても、下位の者から上司を役職名だけで呼ぶことはまずありません。やはり「○○部長様（○○부장님 ブジャンニム）」となります。

また学校では「先生様《ソンセンニム》」で一つの単語になっています。これに関連しますが、大学の先生を呼ぶ場合は「○○教授様（○○교수님　キョスニム）」となります。書面上などでも「○○教授様」とするのが一般的で、「○○先生様」と書くことはほとんどないだけでなく、相手がたとえ「講師」「准教授」であっても「○○教授様」とします。ですから、私も今の職場では「准教授」ですが、韓国の留学生からは「延《ヨン》教授様（연교수님）」と呼びかけられますし、韓国からの郵便物やメールにも「教授様」と記されています。

日本では、この「先生」という呼称は、学校関係以外では病院関係、法曹界《ほうそうかい》など特殊な知識や技能を持った人に使われるようです。もっとも国会議員などにも使われているようで、これは例外なのでしょうか。

一方、韓国での「先生」は日本とは違って、初対面で目上の人や年齢が上の人、さらには身分や職業がわからない人にも「先生」が使われます。商店でお客に対して「先生」と呼びかけることは珍しくありません。

韓国語の「先生」は、日本語の「先生」の意味より中国語の「先生《シェンション》」の意味に近く、日本語にすれば「～さん」に当たる用法でしょう。

日本語で「先生」に「様」をつけると奇異な感じになりますが、韓国語の「先生様」には先生を敬う気持ちが込められています。

そこで、この「様」について、日本語を少し追いかけてみますと、韓国語の「先生様」と同様の表現があることに気づかされます。たとえば、次のような言い方を奇異に感じる日本の方はいないと思います。

「お月様」「お日様」「神様」「仏様」「雷様」「お父様」「叔母様」

どれにも「畏敬《いけい》、脅威《きょうい》、尊敬《そんけい》」といった感情が込められているからこそ、「様」がつけられています。実はこれらの単語は韓国語でも「様」をつけて使われるのが一般的です。「先生様《ソンセンニム》（선생님）」は日本語として奇異に映っても、日本語の中には「様」をつけて使い、しかも、ごく自然で、誰も違和感を抱かない表現もあるのです。つまり、日本語と韓国語の「様」の用法は「畏敬、脅威、尊敬」といった、対象物を上位に置いた、同じ情緒や感情から生まれた表現であることがわかります。

そのほか韓国では、相手が目上の場合、あるいはあまり親しくなかったり初対面の人に使う呼称があります。それは「씨（シ）」で、漢字では「氏」になります。日本でも「氏」は使いますが、少なくとも相手への呼びかけとしては使いません。

日本語の「～さん」に当たる「씨（シ）」ですが、苗字だけで使われることはなく、フルネームのあとに「シ」つけて呼びかけます。また、日本と同じように新聞やテレビなどではフルネームのあとに「シ」をつけるのが一般的です。親しい目上の人には苗字を省いて、名前のあとに「シ」をつけて呼びかけることもあります。ただ、最近ではこの「씨（シ）」に代わって「님（ニム）」、つまり「様」が使われるようになってきています。

ちょっと余計なことですが、韓国では苗字だけで相手を呼ぶことはほとんどありません。日本と比べて苗字の数が極端に少なく、同姓の人がたくさんいるからです。そのためフルネームで呼びかけ、書面でもフルネームで書きます。

漢字で表記すれば「先生」「様」「氏」ですが、韓日両国で用い方や意味が少しずつ違っています。ただ、対象となる相手に失礼にならないようにという気持は同じだと言えそうです。

ところで、別れの挨拶でよく使う「さようなら」ですが、これも日本語表現とは大きく異なる場合があります。たとえば、他人のお宅を訪問して帰るときなどがその典型です。送り出す人（家人）と帰る人（お客）とで、「さようなら」の表現が異なります。「アンニョンイ・ケセヨ（안녕히 계세요）」はお客が言う「さようなら」です。そして、「アンニョンイ・カセヨ（안녕히 가세요）」は、家人が言う「さようなら」です。

お客の「さようなら」を説明しますと、「アンニョンイ」は漢字では「安寧に」で、「安らかで平和」という意味です。「ケセヨ（계세요）」は「イッタ（있다）居る」の敬語表現で、「いらっしゃる」の意味ですが、これは丁寧な命令形です。ですから、直訳しますと

「安寧になさってください」となります。

家人が言う「カセヨ（가세요）」も「カダ（가다）行く」が基本形で、これまた丁寧な命令形です。直訳すれば「安寧に行ってください」となります。

韓国語には丁寧な命令形表現がよく使われます。ですから、「さようなら」が立場によって表現は異なりながら、どちらも丁寧な命令形になるのは決して不自然ではありません。ちなみに外出先でお互いが「さようなら」と言う場合は、それぞれ「カセヨ」を使いますから「行ってください」という意味になります。

日本では「さようなら」には「さようなら」で応じればいいわけで、立場の違いで表現が変わるということはありません。そのため日本語から見ると、韓国語の「さようなら」は奇異に映るかもしれません。でも、日本でも分かれる際に「さようなら」の代わりに「お気をつけてお帰りください」「気をつけて帰ってね」などと丁寧な命令口調で言うことも珍しくありません。

韓日の別れの表現にはどちらも相手の無事を祈りつつ、再会を願う気持ちが込められているようです。

3　韓国のことわざ――動物を例に

韓国語でことわざは「속담《ソクタム》」（俗談）と言います。そもそもことわざとは、「その国の民衆の生活から生まれた、教訓的な言葉。（短くて、口調のいいものが多い）」（『新明解国語辞典』三省堂）

「古くから人々に言いならわされたことば教訓、諷刺などの意を寓《ぐう》した短句や秀句《しゅうく》」（『広辞苑』岩波書店）

と二つの辞書では説明しています。

確かに、ことわざとして定着するには長い時間が必要です。しかも、一つの集団として人びとの間に共通した生活様式、行動様式に基づいた共通認識も必要でしょう。

でも、「良薬《りょうやく》は口に苦《にが》し」を例に取りますと、韓国にも「좋은《チョウン》 약은《ニャグン》 입에《イベ》 쓰다《スダ》」（良い薬は苦くて飲みにくいが、病気には良い）ということわざがあります。日本でもおなじみのものので、平安時代（七九四～一一八五）には、すでに使われていたようです。

ところが、この「良薬は口に苦し」は中国の『韓非子《かんぴし》』（BC二八〇?〜BC二三三）や三国時代の王粛《おうしゅく》（一九五〜二五六）が編《あ》んだ『孔子家語《こうしけご》』、さらには『三国志』（成立は二八〇年以降とされる）の「呉志《ごし》」孫奮伝《そんふんでん》などに記されていて、漢民族から生まれたものが、のちに韓国や日本へ伝えられ、定着しました。

こう見ると、ことわざは一つの国、一つの民族から生まれ、定着したものとばかりは言えないようです。ことわざには人間が集団で生活するなかで得た知恵が詰まっていますし、普遍性もあるため、人種、民族を超えた共感が得られるからなのでしょう。

ところで、ことわざの数はどのくらいあるのかと誰もが抱く疑問ですが、韓国も日本と同様に正確な数を把握するのは困難です（ちなみに日本の『故事俗信ことわざ大辞典』（小学館二〇一二年）には四三〇〇〇項目が収録されています）。ただ、日常生活で使われることわざの数はせいぜい一〇〇〜二〇〇程度でしょう。しかも、ことわざという性格上、聞き手や話し手から強い共感や深い納得が得られなければ意味がないため、相手との共通の生活感覚や認識を持っている必要があります。

そこで韓国と日本のことわざを少し比較しながら紹介してみます。

両国のことわざには、まったく同じ意味を持つものもあれば、異なる表現で同じ意味を持つものもあります。もちろん表現も意味も両国独自ということわざもあります。また、中国を発祥地として韓日両国で使われているものもあります。さらに欧米から流入したことわざもありますが、ここでは触れないことにします。

「雨降って地固まる」は、雨を嫌がる人は多いけれど、雨がやむと地面がしっかり固まり、よい状態になるということから、揉《も》め事や争い事の結果、良い状況になることを言う場合に使われます。

これを韓国では「비온《ビオン》 뒤에《ディエ》 땅이《タンイ》 굳어진다《クドジンダ》」と言い、「雨が降った後は地面が固くなる」という意味で、日本とまったく同じです。

もう一つ、同表現、同意味の例を挙げますと、「무소식이《ムソシギ》 희소식《ヒソシク》」です。漢字表記にすると、「無消息は喜消息」となります。何も連絡がないのは、知らせることが何もないので心配ないという意味で使われ、日本の「便りのないのは良い知らせ」と同じです。

さらにもう一つ。「일석이조《イルソギジョ》」（一石二鳥）です。これも日本とまったく同じです。ただ、証明する資料がないのですが、このことわざは日本から移入されたのではないかと私は考えています。韓国にはほかの言い方もあります（後述）。

それでは次に動物を使ったことわざを少し紹介しましょう。興味深いのは、韓国と日本の風土や生活の違いが反映されていることです。

「쇠뿔은《ソエプルン》 단김에《タンギメ》 빼라《ペラ》」

日本語にすると「牛の角は一気に抜き取れ」です。

日本でもかつて牛は農作業に欠かせない動物であり、人びとにとって身近な生き物でした。「牛の角を抜く」は、実際には子牛の角でしたら焼きごてを当てて焼いて除去しますが、その時期をはずすと、「抜く」のではなく「切る」ことになります。これは日本でも同様です。

韓国人にとって、牛は身近な動物です。勤勉で、忍耐力があり、しかも、その家の大切な財産としても見られていました。日本でも同じイメージがあるようです。このことわざは良いと思ったことはすぐに実行に移し、チャンスを逃すな、といった「善は急げ」と同じ意味で使います。

牛が身近な動物として見られていた他の例をあげれば、

「소《ソ》 잃고《イルコ》 외양간《ウェヤンカン》 고친다《コチンダ》」があります。

日本語訳では「牛を失ってから牛小屋を直す」となります。

こちらは「牛の角を抜く」よりは推測がつきやすいと思います。日本のことわざでは「あとの祭り」です。

牛が登場することわざで、

「밥《バム》 먹고《モッコ》 바로《バロ》 누우면《ヌウミョン》 소가《ソガ》 된다《デンダ》」という表現もあります。

日本語にすると「ご飯を食べてすぐ横になると牛になる」です。

日本にもまったく同じ表現があることを知ったときには、あまりの共通性に大変、驚いたことを覚えています。子どもの頃、母親から行儀が悪いとして、こう言われて、よく注意されたものでした。牛が韓日両国の人びとに大変身近な動物で、牛がものを食べたあとは横になる習性を熟知していたからこそ、生まれたことわざでしょう。そして、このことわざには「牛になる」ことをあまり歓迎しないニュアンスが含まれています。

さらに次の言い方になりますと、牛をマイナス評価の対象として見ているのがわかります。

「쇠귀에《ソエギエ》 경《ギョン》 읽기《イルキ》」

日本語訳では「牛の耳に経読み」となります。

「あれっ」と思われるのではないでしょうか。日本では「牛」を「馬」に替えれば、馬にお経を聞かせても無駄なことから、価値のわからない者に教え諭《さと》したりしても無駄なことを表す「馬の耳に念仏」になります。

中国にも「馬耳東風《ばじとうふう》」や「対牛弾琴《たいぎゅうだんきん》」といった表現があり、やはり馬や牛が身近な動物だったことがわかります。ついでに言えば、

韓国、日本とも「馬耳東風」は使われています。また日本では、「馬の耳に念仏」ほどには使われませんが、「牛に経文《きょうもん》」という言い方もあるようです。

日本には「馬の耳に念仏」と似たような意味のことわざに「豚に真珠」「猫に小判」といった動物を使ったことわざがあります。韓国にも「개《ケ》 발에《バレ》 편자《ピョンザ》」（犬の足にひずめ）が同様の意味のことわざとしてあります。

あと少しだけ他の動物を使ったことわざを紹介しておきます。

○ 쥐구멍에도 볕들 날이 있다 （チィグモンエド ピョットゥルナリ イッタ）

「ネズミの穴にも日が差し込む日がある」

日本…「待てば海路《かいろ》の日和《ひより》あり」

（じっと待っていればいずれチャンスは巡ってくる。辛抱強く待つことが大切）

○

쥐꼬리만 하다（チィコリマン ハダ）

「ネズミの尻尾ほど」

새발의《セバレ》 피《ピ》「鳥の足の血」とも言います。

日本…「すずめの涙」

（ほんの少しの分量）。

○

멧돼지 잡으려다 집돼지 놓친다（メッテジ ザブリョダ ジップテジ ノッチンダ）

「猪をつかまえようとして、飼い豚を逃がす」

산토끼 잡으려다 집토끼 놓친다（サントキ ザブリョダ ジップトキ ノッチンダ）

「野兎《のうさぎ》を捕まえようとして飼《か》い兎《うさぎ》を逃す」とも言います。

日本…「二兎《にと》を追うものは一兎《いっと》も得ず」

（二つとも手に入れようとして、結局どちらも手に入らない）

○

참새가 죽어도 짹한다（チャムセガ ジュゴド チェッカンダ）

「スズメも死ねばチッと言う」

지렁이도 밟으면 꿈틀한다（チロンイド バルブミョン クムトゥランダ）
「ミミズも踏めばぴくりとする」とも言います。
日本…「一寸《いっすん》の虫にも五分《ごぶ》の魂」
（どんなに小さく弱い者でもそれなりの感情や考えもあり、ばかにしてはいけない）

○

낮말은 새가 듣고 밤말은 쥐가 듣는다（ナンマルン セガ トゥッコ パムマルン ヂィガ トゥンヌンダ）
「昼の言葉は鳥が聞き、夜の言葉はねずみが聞く」
日本…「壁に耳あり障子《しょうじ》に目あり」
（どこで誰が見たり聞いたりしているかわからないことから、言葉や話は漏《も》れないように慎重にすべき）

○

범에게 날개（ポメゲ ナルゲ）
「虎に翼」
日本…「鬼に金棒《かなぼう》」

（強い者に更に強さが加わって敵なしとなる）

○ 범없는 골에는 토끼가 스승（ポモムヌン ゴレヌン トキガ ススン）

「虎がいない谷はウサギが師匠」

日本…「鬼のいぬ間に洗濯」

（怖い人や遠慮しなければいけない人がいない間にのんびりする）

○ 호랑이도 제 말하면 온다（ホランイド ジェマラミョン オンダ）

「虎も自分のことを言うとやってくる」

日本…「うわさをすれば影がさす」

（ある人の噂をしていると、その当人が現れる）

○ 꿩 먹고 알 먹는다（クォンモッコ アルモンヌンダ）

「キジを食べ、たまごを食べる」

日本…「一石二鳥」

（一つの行為で二つの利益を得る）

○ 개천에서 용난다（ケチョネソ ヨンナンダ）

「溝《みぞ》から龍がでる」

日本…「鳶《とび》が鷹《たか》を生む」、あるいは「とんびが鷹《たか》を生む」

（ごく普通の親から大変、優れた子どもが生まれる）

動物を使ったことわざは韓日両国とも比較的多いのは、ことわざが教訓や諷刺を相手に伝えられる効果があるからでしょう。そのためには誰もが理解できる、いつも身近に見たり感じたりできる対象の方がわかりやすいわけですから、動物が取り上げられるのは、むしろ当然かもしれません。

韓国のことわざと日本のことわざと比較してみますと、韓国と日本の風土、習慣などが異なることを教えてくれる一方、まったく同じ思考、同じ感性も多々共有していることもわかります。その意味で韓日のことわざの比較は、両国の民族性を考える一つの有効な方法だと思います。

4　韓国人の口癖？――「精神がない」「はやくはやく」

●精神がない

日本では「愛校精神がない」「サービス精神がない」などと言いますが、いきなり「精神がない」とはあまり言わないと思います。ところが韓国では、この「精神がない」は、かなりの頻度で多くの人に使われます。韓国での「精神《チョンシン》」（정신）の意味は日本語とほぼ重なります。「精神力《チョンシンニョク》」（정신력）、「精神年齢《チョンシンニョルリョン》」（정신연령）、「ハングリー精神《ホォングリジョンシン》」（헝그리 정신）などです。また、日本で「健康な身体に健康な精神が宿る」と言いますが、韓国にもまったく同じ「건강한《コンガンアン》 신체에《シンチェエ》 건전한《コンジョンナン》 정신이《ジョンシンニ》 깃든다《キットゥンダ》」があり、意味ももちろん同じです。

ところが韓国では、この「精神《チョンシン》」（정신）に「無い《オプタ》」（없다）がつきますと、日本語とは異なる意味で使われることになります。「彼は読書で〝精神がない〟」とか、「忙しすぎて〝精神がない〟」などと言います。このような場合、日本語では「彼は読書に夢中だ」「忙しすぎて目が回る」といった表現になるのでしょうか。

いつ頃からこのような意味で「정신이 없다」（チョンシニ オプタ）、「정신이 없어」（チョンシニ オプソ）、あるいは助詞の「이」を省略して「정신 없다」（チョンシン オプタ）、「정신 없어」（チョンシン オプソ）が使われ始めたのかわかりません。使う頻度も個人差があって、私の母はよくこのフレーズを使いますが、私は母ほど使いません。

この「精神」という言葉は中国伝来で、「精」と「神」の合成語です。「精」には〝純一、精髄《せいずい》、精力〟といった意味があり、「神」には〝優秀、精力、集中〟などといった意味があります。ですから「精神」にはもともと〝優れた力、純正、エネルギー、集中力〟という意味合いが込められていました。もっとも現代では、「精神」に対する「物質」といったように、中国伝来の概念より広がって使われていますから、韓国人が使う「精神がない」では、むしろ、古来からの概念で考えた方がわかりやすいでしょう。〝優れた力、純正、エネルギー、集中力〟が「無さて、そこで「精神がない」ですが、い」ことを表現しますから、そうした心理状況になったときに、かなり曖昧なままに多くの人びとが使ってきたものと思われます。

たとえば、「忙しい」「焦る」といった状況や場面では、おそらく気持ちに集中性を欠《か》き、力を存分に発揮できないわけで、冷静に物事に対処できないことから「精神がない」となるのでしょう。また、混雑して落ち着かない公共の場所や、心落ち着かなくさせる行為にこのフレーズが使われるのも、好ましい精神状態が奪われたという意識が生まれるからでしょう。さらには、心理面で心配事や収拾《しゅうしゅう》のつかない事態に直面したとき、ゆとりを失い、混乱し、パニックに陥って、沈着《ちんちゃく》な判断ができなくなるわけですから、やはり「精神がない」となるのだと思います。

これまで私自身、あまり意識せずに使ってきた「精神がない」ですが、中国から伝えられた「精神」の原義を踏まえていますので、韓国流に使われ始めた「精神がない」の歴史は案外古いのかもしれません。

ちなみに、複数の韓国語辞書で「精神がない」を見ますと、〝慌ただしい、落ち着かない、気がせく、無我夢中、平静ではない、わけがわからない、目が回る〟とかなりの語で説明されています。

●はやく、はやく

〝韓国の人は民族的にせっかちなんですか〟と訊かれることがあります。〝なぜですか〟という私の反問には、決まったように〝だって「빨리《パルリ》 빨리《パルリ》」（はやくはやく）ってよく言

うでしょう〟がその返事です。

韓国へちょっと旅行に出かけた程度では気づきませんが、韓国人と親しくつき合ったり、韓国に長期滞在したりしていると、確かに「빨리 빨리」はよく耳にします。たとえば、

「빨리해《パルリエ》 주세요《ジュセヨ》」（はやくしてください）
「빨리《パルリ》 가자《カジャ》」（はやく行こう）
「빨리《パルリ》 가져와《カジョワ》」（はやく持ってきて）

等々です。

ところで、韓国語の「はやく」には、日本語と同じように時期、時刻が「早い」形容詞と、動作、行為などが「速い」形容詞の区別があり、表現も異なります。前者は「이르《イル》다《ダ》」、後者は「빠르다《パルダ》」で、副詞では前者が「일찍《イルチク》」、後者が「빨리《パルリ》」となります。ただし、

빨리《パルリ》 일어나《イロナ》. 일찍《イルチク》 안《アン》 자니까《ジャニカ》 못《モン》 일어나는거야《ニロナヌンゴオヤ》.（早く（速く）起きなさい。早く寝ないから起きられないのよ。）

このように「빠르다《パルダ》」は「時期、時刻が早い」でも使われる場合があります。

「韓国人はせっかち」の証拠とされる「빨리《パルリ》」は、副詞ですので動詞と結びつきます。

しかも、相手に対して使う場合が多く、相手からすれば〝急かされる〟印象を強く持つことになります。実際そうした効果を期待しての副詞と言えます。つまり、「빨리《パルリ》」が副詞であるために、言われた当人はその行為を早く行わなければならないという強迫感や、煽《あお》られる感じを抱くことになります。

日本に比べて「はやく」という副詞が韓国人の口から飛び出す回数は多いでしょう。ただ、この「빨리」は比較的、気を遣わなくてよい相手に用いられる場合が多いと言えます。ですから、もし韓国人から「빨리」という言葉を投げかけられたら、相手は自分を親しい、気の置けない人物と見ている、と判断してよいでしょう。

そのような人間関係であれば、こちらの対応も真正面から受けとめ過ぎなくてもいいように思います。

「빨리」という表現から「韓国人はせっかち」と私が感じなかったのは、私自身が相手からの「빨리」を軽く受けとめていたからだと思います。相手も「빨리」と言ってもその行為がすぐに、確実に実行されるとはあまり思っていない場合が多いのです。

ただ、「빨리」に関わるかもしれませんが、日本の生活にすっかり馴染んでしまった私は、韓国に戻るたびに、周囲の動きについていけない場合がたびたび起こります。韓国に

住んでいる韓国人は誰もが急いでいるようで、〝せわしない〟という言葉がピッタリです。今から四八年ほど前に、日本では〝狭い日本、そんなに急いでどこへ行く〟という全国交通安全運動の標語がとても流行したと聞いたことがあります。現在の韓国は、まさに交通安全だけでなく、日常生活すべてで〝狭い韓国、そんなに急いでどこへ行く〟と呼びかけたくなるほどです。

韓国には〝ゆとり〟がないように感じます。特に都市部に住む人びとにその傾向が強いと言えます。まるで時間に追いまわされているようです。日本でも朝の通勤時間帯には目的地に向かう足早《あしばや》の沈黙の人びとを多数見受けます（私もそのうちの一人です）が、韓国では、通勤時間帯だけではありません。

なぜそうなのか、理由はいろいろ考えられます。ただはっきり言えることは、「せっかち」と映る現象は、民族性ではないだろうということです。私はむしろ「急がず、慌てず」こそ、本来の民族性だと見ています。

なぜなら、私も来日してしばらくの期間は、相手の動作に対して「빨리 빨리」と内心ではよく言っていたものでした。ところが、日本の生活ペースに馴染んで、車なども猛スピードで走らない方が事故発生の確率も減って、安全だと思うようになっていました。も

し「せっかち」が民族性だとするなら、このような変化は私の中で起きなかったでしょう。

現在の韓国人が「빨리 빨리」になるのは、競争意識が異様に強い社会になっているからだと思います。他者と比較し、競争意識を適度に保持することは物事の前進を促すエネルギーになり、大切です。でも、日本と比較すると韓国社会に渦巻いている競争意識は異常です。私はこうした状況を良いとは思いませんが、強い批判もできない一面があります。異常なほど激しい競争意識を持ち、他者より前に出ようとしなければ落伍者になってしまう可能性が高いからです。

また、異常な競争意識を生み出す要因の一つに多様な価値観が育ちにくい社会にもなっているからです。たとえば、一八歳人口の大学進学率は日本では、ようやく五〇％（短期大学を除く）に届いたばかりですが、韓国では、八〇％近くです。高校生の目指す進路はひたすら大学だけといった観があります。しかも、目指す大学は有名国公立・私大が圧倒的多数を占めます（結果的に入学を果たせるのはごく少数です）。これほど一流大学を目指す最大の理由は、一流企業への就職、つまり、成功者への道がかかっているからです。

韓国では、社会人になる年齢に近づくほど選択する道が狭まっていくのです。

他人に負けてはならないと思わざるを得ない社会では、一日は二四時間以上必要なのか

もしれません。「빨리 빨리」とつい言ってしまうのもわからないわけではありません。でもその一方で、余裕やゆとりが失われてしまっています。

韓国は一九四五年以後の日本の国作りのあとを追いかけ、追い越そうとしてきています。でも、現在の日本はひたすら経済成長を追及する社会ではなくなってきています。もし韓国が日本に学ぶつもりならば、一般の日本人が現在、日々の生活面や身近な将来に向けて何を望んでいるのか見るべきです。実は少子高齢化社会、雇用、賃金格差、福祉、女性の地位、子育て等々、抱えている問題は韓国とさほど変わらないのです。

それでも訪日した韓国人の多くが日本では時間がゆっくりして、ざわついていないと感じるのはなぜなのか、韓国人は一度、歩みを止めて考えてみる必要があると思います。

「韓国人＝「빨리 빨리」＝せっかち＝民族性」と見られてしまう現在の韓国が本来の（と私は思っている）「慌てず、急がず」に戻り、落ち着いた、成熟した社会になることを願うばかりです。

5　びっくり、納得――省略される韓国語

大学で教科書に沿って教えているかぎり、韓国語の省略、あるいは短縮化された言葉が出てくることは、私の経験ではそう多くありません。

でも、実際の生活では、言葉の省略形は溢れていると言ってもいいでしょう。私を含めて多くの人が省略語の誕生に日々、目配りしているわけではありませんから、かなり社会に浸透して、ようやくその言葉を知るなどということも珍しくありません。

言葉の省略形は韓日ともに実に多いと思います。特に私などのように日本に住んでいる者には、韓国で新たに使われ始めた言葉や短縮された言葉の中には〝意味不明〟が時どき出現します。

省略語や短縮語が生まれ続けるのは、正式な表現では言葉が長くなり、それを逐一《ちくいち》言ったり、書いたりするのが面倒、煩わしいという大きな理由があると思います。新聞などは以前からそうでしたが、特に最近ではスマホ（これも省略語）や携帯（これもまた省略語）

などでは可能なかぎり打ち込む文字数を減らそうとする傾向が強く、スマホ用の省略語や記号も増えています。そして、もう一つは、仲間うちの狭い範囲でだけ通じる、いわば暗号化するために言葉を省略するという場合もあります。ただし、暗号化の方は長い期間、使い続けられる確率は低くなります。

言い方を変えると、省略語や短縮語が長い命を保つためには、社会的な認知が必要でしょう。でも、言葉を省略する明確な方式は恐らくないだろうと思います。ある種の傾向として、どうやら、わかり易く、親しみがあり、リズム的にしっくりする、といった要素をそなえて、省略語や短縮語は生まれるようです。

日本ですっかり馴染まれていて、私などは短縮語という認識さえ、かなり長い間、持たなかったのが「ＮＨＫ」でした。

韓国にも「韓国放送公社」（한국방송공사）という公共放送局があり、日本の「ＮＨＫ」と同じく受信料を国民から徴収しています。韓国では、この放送局は「ＫＢＳ」と呼ばれていて、やはり省略語で馴染まれています。「ＫＢＳ」は「Korean Broadcasting System」という英語表記が正式名称ですから、その省略語にローマ字が使われていても違和感はありません。

でも、「NHK」は「日本放送協会」という日本語の、「日本」、「放送」、「協会」のそれぞれ頭文字の発音をローマ字にしているわけで、私のような外国人にはわかりにくい省略語になっています。

同じように、今から一〇数年ほど前に「KY」という省略語が日本でよく使われていたことがありました。Kは「空気」、Yは「読めない」という否定語で、「空気が読めない」という意味で使われました。最初は高校生が言い出したようですが、やがて一般社会でも「その場の空気」を素早く読み取れるか否かの判断能力を言う場合に使われ始めました。この「KY」などは、日本語の文章を最大限に短縮し、しかも、ローマ字で表記されて、使われていますから、今となっては、説明されない限り、理解できない人も多いのではないでしょうか。

一方、日本には江戸時代からの格言で、それが省略されて現在でも使われている言葉があります。「藪《やぶ》をつついて蛇を出す」がその一つです。さすがに「YH」とは言いませんが、漢字二字を使って「やぶへび」と省略して言います。日本の方ならたいていは使ったことがあると思います。「余計なことをして悪い結果を招く」という意味です。

同じように「かもねぎ」があります。これは「鴨《かも》が葱《ねぎ》をしょって来る」を省略した言葉です。鴨鍋を作ろうとしていたら、その鴨が葱まで背負って来たというわけで、「事態がさらに良い方向に動き、望んだ状況に進む」という意味で、これまた日本ではよく使われています。

なかなか巧みな省略方法で、日本語が漢字も使う言語だからこそできる省略語でしょう。韓国にも単語ではなく、文章を省略した言葉がありますが、日本のように文字（漢字）ではなく、音だけになってしまいますから、省略された音の並びを一つの言葉として覚えなければなりません。日本語では、

カラオケ　→「空《から》」＋オーケストラ

デパ地下　→デパートメント＋「地下」

メル友　→メール＋「友だち」

イタめし→イタリア＋「飯」

といった省略語が可能です。でも韓国語では、

○ 갑분싸（カップンサ）

これは「갑자기 분위기 싸해짐」（カップチャギ ブニギ サヘジム　突然、周囲の雰囲気が凍

ったようになる）という文章の頭文字3字を並べてできた省略語です。その場の雰囲気が盛り上がっていたのに、誰かの言葉で一気に興《きょう》ざめになったときなどに使います。

それぞれ先頭の音だけをつなぎ合わせていますから、その音だけではまったく意味を持つことはありません。同じ省略方法になりますが、

○ 버카충（ポォカチュン）

「버스 카드 충전」（ポォス カドゥ チュンジョン　バスカードのチャージをする）という文章の頭文字で、日本語の発音に合わせれば、「バス」の「バ」、「カード」の「カ」、「チャージ」の「チ」3字を並べた言葉になっているというわけです。

これらは省略語を作る一つの手法が韓国と日本で、まったく異なることを教えています。

次に韓国での省略語について、日本でもよく知られた言葉で少し追いかけてみましょう。

○ 아르바이트（アルバイトゥ　アルバイト）→알바（アㇽバ）

日本では「バイト」です。

○ 디지털 카메라（ディジトㇽ カメラ）→ 디카（ディカ）

日本では「デジカメ」です。

○ 자동 판매기（ヂャドン パンメギ　自動販売機）→ 자판기（ヂャパンギ）

日本でも自動販売機の短縮形は「自販機」です。「ヂャパンギ」は漢字にすれば「自販機」ですから、省略方法が日本と同じです。

○ 셀프카메라（セㇽプカメラ　自分撮り）→ 셀카（セㇽカ）

日本では「自撮り」です。この省略形は日本でも通じるのではないでしょうか。

○ 생얼굴（センオㇽグㇽ　生の顔）→ 생얼（センオㇽ）

日本では「すっぴん」に当たります。ただし、日本では「すっぴん」は、漢字表記すれば「素嬪」ですから、省略語ではありません。化粧をしなくても美人というのが本来の意味でしたが、現在では、化粧無しの素顔のままを意味するようになっています。

では、日本でもよく知られている店の名前の省略形を挙げてみましょう。

○ 맥도날드（メックドナルドゥ）→맥날（メッンナル）

ハンバーガーショップの「マクドナルド」のことで、日本では「マック」です。

○ 스타벅스（スタボォクス）→스벅（スボォク）

スターバックスで、日本では「スタバ」です。韓国では「별（ピョル　星）」と「다방（ダバン　喫茶）」で「별다방（ピョルダバン）」と呼ぶこともありますが、こちらは省略ではなく合成語です。

○ Kentucky Fried Chicken→케이 에프 시（ケイ エプ シ）、あるいは켄치（ケンチ）

ケンタッキー・フライド・チキンのことで、日本でも「ＫＦＣ」の文字は必ず看板に出ていますが、日本では「ＫＦＣ」とは呼ばず、「ケンタッキー」あるいは「ケンタ」と略されますが、韓国で「ケンタッキー」と言ってもおそらく通じないと思います。

韓国での省略語は他にもたくさんあります。また、消えてしまった省略語もあるはずですから、それらにも目配りをすると、今まで私には見えていなかった韓国社会が見えてくるかもしれません。

6　お米とことわざ　韓国と日本

韓国も日本も米（穀物）を主食とする民族ですから、私たちの食生活上、お米は切っても切れないものです。稲を収穫するまでには、田《た》の準備から稲刈りまで、春先から秋まで、およそ半年という長い時間が必要です。最近は機械化が進んだとは言え、稲作に従事する人びとの苦労は大変なものです。稲の出来具合は日照時間、雨量の多寡《たか》、気温の高低、湿度の高低といった天候から、肥料、害虫、稲の病気等々、それぞれが微妙に絡まり合いますから半年間は気が休まるときがありません。

韓日両国とも農耕が中心の生活でしたから、米など農作物の生産を主な柱にしていました。そのため人びとの意識の中には、今でもお米への愛着と、その存在感が非常に大きいと言えます。その証拠というと変ですが、お米が重要な食物という認識から、韓国、日本、そして、中国にもまったく同じことわざがあります。

「벼는 익을수록 고개를 숙인다」（ビョヌン イグㇽスロッㇰ コゲルゥㇽ スギンダ）がそれで、「稲は熟すほど首を下げる」という意味です。日本では「実るほど頭をたれる稲穂かな」と言いますし、中国では「成熟的稲穂低着头」（チョンシュウ デ ダオスイ ディジャトウ成熟した稲穂は頭を下げる）と言うようです。

韓国も日本も、田が身近にあり、時期ごとに変わる稲の匂いを感じることなど、今や都会ではできなくなっていますが、かつては秋になると実った稲穂が重そうに垂《た》れている姿をごく当たり前に目にできました。

ですから、人間の生存を支えてくれるお米はありがたい、感謝の対象となっていました。それにもかかわらず、お米は実るほどに頭を垂《た》れていきますから、その姿に人間は一種の感動を覚え、人間の生き方に引きつけて、学ばなければならないということわざが生まれていったのではないでしょうか。

稲作文化を培《つちか》ってきた人びとが韓国、日本、そして中国で遠い昔から共通した稲への感慨《かんがい》を持っていてなんだか嬉しくなります。

韓国には、お米は素晴らしい食べ物という認識から、次のようなことわざがあります。

○ 밥이 보약이다（パビ ボヤギダ）

直訳すれば、「ご飯は補薬《ほやく》だ」となります。きちんとお米を食べる食事をすれば、そのほかの薬や栄養剤などは必要ないという意味です。

さらに、お米が常に傍《そば》にある食べ物だったことから、とかく他人のことが気になる人間の習性と結びつけた、次のようなことわざもあります。

○ 남의 밥에 든 콩이 굵어 보인다（ナメ バベ ドゥン コンイ グㇽゴ ボインダ）

直訳すれば、「他人のご飯に入った豆は太く見える」です。

日本では、何か特別な日でもないと、小豆の入ったもち米のお赤飯など作りませんし、うるち米に豆を入れたご飯もあまり作りません。でも韓国では、比較的よく豆ご飯を作ります。入れる豆は黒豆や小豆、大豆などさまざまです。そのため、お米と豆を結びつけた、生活感覚十分な格言《かくげん》ができ上がったのだろうと思います。

日本では、「隣の芝生は青い」という言い方で、「自分のものより他人のものの方がよく見える」ときによく使われます。

でも、この格言が日本の風土から生まれたものでないのは、容易に想像がつきます。もともとは「The grass is always greener on the other side of the fence」（フェンスのあちらの草は常にグリーン）という英語が定着したものです。

かつての日本では、「隣のぼた餅は大きく見える」「内の米の飯より隣の麦飯」といった言い方が主流だったはずです。でも最近、日本でこれらの表現があまり使われなくなった理由も容易に想像がつきます。今や「ぼた餅」も「麦飯」も、日々の生活に密着した食べ物ではなくなってしまい、「芝生」の方がより身近な存在になってしまったからでしょう。

でも、私は日本らしい表現が後退してしまったことを残念に思っています。

韓国では、今でも「他人のご飯に入った豆は太く見える」（남의 밥에 든 콩이 굵어 보인다）と同じ意味で、

○ 남의 떡이 커 보인다 （ナメ トギ コ ボインダ）

とも言います。直訳すれば、「他人の餅は大きく見える」ですから、日本の「隣のぼた餅は大きく見える」とほとんど同じ言い方です。日本であまり使われなくなった表現が韓国では現在進行形なのは、お餅が日常の食生活で大変身近な食品だからです。ちなみに韓国のお餅は、普段食べているうるち米から作ったものが主流です。この点は韓国と日本のお

餅の大きな違いだと言えます。

そのほかにもお米を使ったことわざがありますから、あまり説明を加えずに紹介します。

○ 밥값을 하다（バカプスㇽ ハダ）
「ご飯を食べるだけの働きをする」という意味から、それ相応の働きをするといったときに使います。

○ 밥이 입으로 들어가는지 코로 들어가는지（バビ イブロ ドゥロガヌンジ コロ ドゥロガヌンジ）
「ご飯が口に入るのか、鼻に入るのか」という意味で、気持ちが焦って、気が気でないようなときに使います。

○ 밥 먹고 하는 일（バㇺ モッコ ハヌン ニㇽ）
「ご飯を食べてするべき事をする」という意味から、日頃からきちんとするべきことをする、というときなどに使います。

ところで、お米を多めの水で柔らかく煮たものがお粥（お米だけでなく、麦、かぼちゃ、あわび、小豆などでも作ります）ですが、韓国では、お粥も大変身近で、ごく日常的な食べ物です。日本では、病気をしたときや胃腸の調子が悪いときなどに食べるものと思っている人が多く、その点は韓国と大きく異なります。

お粥（죽　チュク）とご飯（밥　バプ）が日常的な食べ物だからこそ、この二つを比較して使うことわざが多く生まれても当然でしょう。

○ 죽도 밥도 안된다（チュクト バプト アンデェンダ）

「お粥にもご飯にもならない」という意味です。中途半端な状況を表現するときに使います。日本では「帯に短《みじか》し、たすきに長《なが》し」が同じような意味で使われています。

○ 죽이 되든 밥이 되든（チュギ デドゥン バビ デドゥン）

「粥になろうがご飯になろうが」という意味で、結果はどうなるのかわからないけれど、それを受け入れるしかないといったときに使います。日本でしたら「賽《さい》は投げられた」「あとは野となれ山となれ」になるのでしょうか。

また、次のようなことわざもあります。

○ 쑨 죽이 밥이 될까（スゥンヂュギ バビ デルカ）

意味は「粥をご飯に戻せるか」で、確かにお米がお粥になったら、ご飯には戻せません。日本では「覆水盆《ふくすいぼん》に返《かえ》らず」「あとの祭り」でしょうか。

日本で「朝飯前」と言えば、物事が簡単にできる場合に使います。「お茶の子さいさい」とも言いますが、現在の日本の若者でしたら、ことわざではなく、「楽勝」「余裕」などと言うかもしれません。

韓国にも「朝飯前」と同じ意味のことわざがあり、これまで紹介してきた食品を使った表現がいくつかあります（もちろん若者も使います）。たとえば、

○ 식은 죽 먹기（シグンヂュㇰ モッキ）

「冷めたお粥を食べる」という意味です。冷めたお粥は美味しくないのに、なぜ「朝飯前」の意味に使われるのだろうと思う人がいるかもしれません。

お粥は熱いものが美味しいのですが、熱いのでゆっくり食べるしかありません。でも、

空腹のときには早く食べたいですから、冷めたお粥の方が一気に、いっぱい食べられるということから、このようなことわざが生まれました。

次の言い方も日本的に考えると、「お行儀がよくありません」とお叱りを受けそうな表現です。

○ 누워서 떡 먹기（ヌウォソ トㇰ モッキ）

「横になってお餅を食べる」という意味です。ちょっと変な表現ですが、人間にとって横になるのは楽な姿勢です。また、お餅は韓国人の食べ物として日常、手軽に手に入ります。そこでこの二つを結びつけて「簡単にできる」ということわざになったのではないかと私は思っています。

ことわざはそこで生活している人びとの共感を呼ばない限り、長い命を保つことは難しいでしょう。同じお米という食べ物を使っても、韓国と日本のことわざに違いが生まれるのは当然とも言えます。

そしてもう一つ、はっきりしているのは言葉と同じように日々の生活から離れていくことわざは使われなくなっていきます。視点を変えれば、使われなくなったことわざ（言葉）は、その時代を知ることができる歴史の証人にもなり得るということでしょうか。

7　あれっ、まるで日本語

初めて外国語を学ぶとき、最初に教えられるのは文字と発音です。そして、母国語にない発音に戸惑い、繰り返し発音練習をしてもうまく身につかず、自信をなくした経験は誰でもが持っていると思います。

おそらくこうした苦い経験をしている人が多いからなのでしょう、日本で日本語を学び始めた頃、〝空耳英語〟というものを教えてくれた人がいました。実際にはない音、あるいは、そのようには発音していないのに、その音や言い方に聞こえたように感じるのが〝空耳〟です。私が〝空耳〟などという言葉さえまだ知らない頃のことでした。

たとえば、日本語で「おしまいか」と言うと、それが英語の「Wash my car」、つまり「自分の車を洗う」に聞こえて、英語を話す人には通じるという説明を聞いた覚えがあります。ほかにも「アルバイト」が「I'll buy it」（それを買う）という英語に聞こえると教えられたときは、日本でアルバイトをしていた私でしたので強く印象に残りました。

でも、その頃は基礎的な日本語学習段階で、とても〝空耳英語〟のような〝遊び〟の余裕などありませんでしたから、いつの間にか忘れてしまっていました。ところが、ある時期になって、ふっと記憶の箱が開き、これは韓国語と日本語の間でも起きていると思い始めました。つまり、〝空耳韓国語〟というわけです。

私の「ある時期」とは、日本語での会話がかなり自由にできるようになってからでした。韓国語と日本語の発音を含めて、少し幅広く比較できるようになってから、と言い換えてもいいかもしれません。

そこで、少し遊び心で韓国語を見てみようと思います。

ただ、韓国語には〝空耳英語〟とは違って、ほとんど同じ発音、しかも意味も同じという言葉も多くあります。私が韓国語に初めて触れる日本の方たちに、外国語という抵抗感を薄め、近づきやすい言語だと説明するときに持ち出す単語があります。まず、それらを挙げてみましょう。

「三角」→「삼각　サムガク」　発音する音に強弱があるだけです。

「無料」→「무료　ムリョ」　「りょう」が「りょ」になるだけです。
「都市」→「도시　トシ」　まったく同じです。
「家族」→「가족　カジョク」　「ぞく」が「じょく」になるだけです。
「関係」→「관계　クァンゲ」　ちょっとなまった日本語という感じでしょうか。
「約束」→「약속　ヤクソク」　同じと言っていいでしょう。
「詐欺」→「사기　サギ」　まったく同じです。
「微妙」→「미묘　ミミョ」　「び」が「み」に変わるだけです。

これらの例は、韓国語と日本語に近似性があるからですが、次はまさに〝空耳韓国語〟です。もちろん意味も違います。日本の方には地名に聞こえるものから示してみます。

○「오지마」→「オジマ」→大島
意味は「来るな」です。

○「도토리」→「トトリ」→鳥取
意味は「どんぐり」です。

○「곧 탄다」→「コッ タンダ」→五反田
意味は「まもなく乗る」です。

○「간다」→「カンダ」→神田
意味は「行く」です。

○「나라」→「ナラ」→奈良
意味は「国」です。

○「인도」→「インド」→インド
意味は「歩道」です。ただしインドという国も「인도」です。

○「빨리」→「パルリ」→パリ
意味は「はやく」です。

以上が「空耳韓国語」の入門編といったところでしょうか。それでは本格的(?)な

〝空耳〟を紹介しましょう。

○「싫어요」↓「シロヨ」
日本語に聞こえるとしたら、「白よ」あるいは「城よ」でしょうか。
韓国語の意味は「嫌です」になります。

○「또 만나요」↓「トマンナヨ」
日本語でしたら「止まんなよ」「泊まんなよ」という漢字が思い浮ぶかもしれません。
韓国語の意味は「また会いましょう」です。

○「우리」↓「ウリ」
日本語として聞いたら「売り」か、植物の「瓜」と理解するかもしれません。
韓国語の意味は「私たち」です。

○「앗싸」↓「アッサ」

これには日本語で促音と呼ばれるつまる音が間に入りますから「朝」や「麻」を思い浮かべることなく、〝空耳〟にならない人もいるかもしれません。

韓国語では「やったー」という喜びを表現するときに使います。

○「내꺼」↓「ネッコ」

これにも促音が入りますが、「アッサ」より空耳として「猫」と聞こえる人は多いかもしれません。

韓国語では「私のもの」という意味になります。ちなみに韓国語で猫は「고양이　コヤンイ」といいますが、日本語で幼児言葉として猫を「にゃんにゃん」と言うように、韓国語でも猫に「야옹아　ヤオンア」(「ネコちゃん」)と呼びかけることがあります。

○「또 이래」↓「トイレ」

日本語として耳にしたら「えっ、トイレ？」と思うかもしれません。韓国語として発音するときには最初の音は少し強くし、次の音との間に微妙な空白があります。

韓国語の意味は「また、こうなの？」です。ちなみに韓国語で「トイレ」は「화장실

ファジャンシル」で、漢字で表記すれば「化粧室」です。

○「알았어」→「アラッソ」

日本語として「あら、そう」に聞こえませんか。

韓国語では「わかった」の意味で、会話の中では日常的によく使われる言葉です。

○「배달」→「ペダル」

日本語として耳にしたら自転車の「ペダル」を思い浮かべるのではないでしょうか。韓国語ではもちろん意味が違っていて「配達」になるのですが、韓国語で自転車の「ペダル」は「페달」とハングルでは表記される発音になります。韓国語に触れたことのない方にはこの2つのハングル表記の違いがわかりづらいかもしれません。強いて日本語として文字で区別するなら、「配達」は「ペダル」、自転車の「ペダル」は「ペダル」となるでしょうか。

韓国語の「配達」を意味する発音が日本語としては自転車の「ペダル」に聞こえてしまうというのも、確かに「空耳」だということがよくわかります。

それでは最後に、

○「마지막으로」→「マジマグロ」

〝空耳〟として「まじ、まぐろ」（本当にマグロ？　あるいは本当のマグロ）と聞こえませんか。

韓国語では「最後に」という意味です。

日本語に聞こえてしまう韓国語を取り上げましたが、〝空耳英語〟よりずっと〝空耳〟に聞こえる発音が多いと言えるでしょう。これには漢字、漢語を同じ祖先として持ち、一時期（それは不幸な時期だったと言えます）、日本による強制的な言語の同一化が行われたことも要因として考えられますし、文化的にも、歴史的にも共通点が多いということにも関わっていると思います。

でも、確実に言えるのは、韓国語は外国語ですが、日本の方にはやはり親和性《しんわせい》のある言語だということでしょう。

8　韓国語と日本語――「数詞」と「助数詞」

辞書的な説明ですが、「助数詞」とは、数を表す語（数詞）のあとにつけて、その物や事柄の数量を示す接尾語です。この「助数詞」は「数詞」や使われる物や事柄を示す単語と関わって、実際、使うときにこれでいいのだろうかと、ふと考えてしまう場合がときどき起こります。

日本語を学び始めた頃、韓国語にも「助数詞」がありますから、あまり抵抗感はありませんでした。日本語で数を言うときに「漢語」で「一（いち）、二（に）、三（さん）～」と言う場合と「和語」で「一つ（ひとつ）、二つ（ふたつ）、三つ（みっつ）～」と言う場合があります。韓国語にも同じ用法があって、韓国語では「漢数詞」と「固有数詞」と呼んでいます。「漢数詞」が「一、二、三～」、「固有数詞」が「一つ、二つ、三つ～」にあたります。

日本語での「漢語」の「一（いち）、二（に）、三（さん）～」は、「数詞」ですから、これに「助数詞」が後ろにつくのは当然です。そして、「和語」の「一つ（ひとつ）、二つ（ふたつ）、三つ（みっつ）〜」の「一、二、三〜」はもちろん「数詞」です。そして、「つ」が「助数詞」です。

　年齢の数え方でちょっと説明します。

「三歳」は、韓国語では「固有数詞」の「三」を使って「세살（セサル）」と言います。この「살（サル）」は「〜歳」です。でも、日本語の「三つ」は、これで「三歳」の意味ですから「三つ歳」とは言いません。ただし、韓国語では「漢数詞」の「三」を使って「삼살（サムサル）」（日本語にすれば「三歳」）とは言いません。

　つまり、日本語では「漢語」の「三歳」も「和語」の「三つ」も使えますが、韓国語では「固有数詞」の「세살（セサル）」しか使えません。この点は、韓国語の「漢数詞」「固有数詞」と日本語の「漢語」「和語」が似ているようで異なる点です。

　さらに「和語」では「一〇」までで、それ以上はありません。しかも、「八つ（やっつ）、九つ（ここのつ）」まではすべて「つ」がつきますが、「一〇」には「つ」がつかずに「とお」と言います。

初めてこの言い方を知ったときはとても不思議で、その理由を何人かの日本の方に訊きましたが、明確な答えは得られませんでした。笑い話的には「五」のときに「五つ」と「つ」を二回使ってしまったから「一〇」には使えないと言われたことがありましたが、もちろん学術的な根拠はないでしょう。

ところが、韓国語の「固有数詞」は「九九」まであります。これをすべて覚えなければいけませんから、外国人が韓国語を学ぼうとすると、めげてしまいそうになる要因の一つです。この点は、韓国人でも同様で「固有数詞」をしっかり言えない、あるいは知らない子どもは多いですし、大人でも「五〇」を超えますと、怪しくなる人も少なくありません。

それでは、韓国語の「漢数詞」と「固有数詞」ではどのように違うのか、次に示してみましょう。

	漢数詞	固有数詞
〇	영／공（ヨン／コン）	――
一	일（イル）	하나（ハナ）

二　이（イ）　둘（トゥル）
三　삼（サム）　셋（セッ）
四　사（サ）　넷（ネッ）
五　오（オ）　다섯（タソッ）
六　육（ユク）　여섯（ヨソッ）
七　칠（チル）　일곱（イルゴプ）
八　팔（パル）　여덟（ヨドル）
九　구（ク）　아홉（アホプ）
一〇　십（シップ）　열（ヨル）
一一　십일（シビル）　열하나（ヨラナ）
一二　십이（シビ）　열둘（ヨルドゥル）

このように並べてみますと「漢数詞」では一一からは「一〇」と「一」の音を組み合わせればいいわけで（多少発音が変わりますが）、日本語と同じです。しかし、「固有数詞」は組み合わせればいいものもありますが、次に示すように「漢数詞」ほど単純ではありません。

	漢数詞	固有数詞
二〇	이십（イシプ）	스물（スムㇽ）
三〇	삼십（サムシプ）	서른（ソルン）
四〇	사십（サシプ）	마흔（マフン）
五〇	오십（オシプ）	쉰（スィン）
六〇	육십（ユㇰシプ）	예순（イェスン）
七〇	칠십（チㇽシプ）	일흔（イルン）
八〇	팔십（パㇽシプ）	여든（ヨドゥン）
九〇	구십（クシプ）	아흔（アフン）

それでは次に、これらの「数詞」が「助数詞」と組み合わされてどのように使われるのか、見てみましょう。

韓国語では「漢数詞」か「固有数詞」かで、使える「助数詞」が決まります。上述した「〜歳」でもわかると思います。日本語では物や事柄を示す単語によって「助数詞」が決まりますから、「漢語」「和語」、どちらでも使える場合があります。けれども、和語の「つ」の使い方は、私のような外国人には規則性がはっきりしていないため、厄介な「助数詞」です。

子どもに年齢を聞いて、「三つ」、あるいは「三歳」と答えても違和感はありません。でも「一人」「二人」は「ひとり」「ふたり」と言いますが、「いちにん」「ににん」とは言わないと私は教えられました。でもあとから「一人前」は「ひとりまえ」とは言わずに「いちにんまえ」と言うことも知りました。

また、期間の長さ（序列を示すものではありません）を言う場合の「一月」「二月」「三月」「四月」は「ひとつき」「ふたつき」「みつき」「よつき」と言っても、「一カ月」「二カ月」というように「〜カ月」と言ってもどちらも違和感がありません。でも「五カ月」以上になりますと、日本語の「和語」では言わないようです。

さらに言えば、日本語には「ひい（一）・ふう（二）・みい（三）・よう（四）・いつ（五）・むう（六）・なな（七）・やあ（八）・ここ（九）・とお（一〇）」という数え方もありますので、私にはかなり難物です。

韓国語では、月数《つきすう》で期間の長さを言う場合、「漢数詞」（日本語の「漢語」）と「固有数詞」（日本語の「和語」）どちらもすべて言うことができます。ただし、比較表で示したように、まったく異なる言い方になります。例示すれば、

「一カ月」「二カ月」～「一二カ月」→「（일）一개월 イルゲウォル」「（이）二개월 イゲウォル」～「（십이）一二개월 シビゲウォル」。

「ひとつき」「ふたつき」→「한달 ハンダル」「두달 トゥダル」～「열두달 ヨルトゥダル」（和語では「一二カ月」を表わす表現がありません）

となります。

韓国語で「漢数詞」のあとにつける「助数詞」の代表例が「年月日、何時何分」です。日本語と同じと言いたいのですが、「何時」のときだけ「漢数詞」ではなく「固有数詞」に変わります。

たとえば、二〇二〇年九月一三日九時一二分→二〇二〇년九월一三일 九시 一二분ですが、これをすべてハングルで表記しますと「이천이십년 구월 십삼일 아홉시 십이분」と

なります（傍線部分「アホプ」が「固有数詞」です）。

韓国語を学習する外国の方には「ややこしい」と感じると思います。

ただ、韓国語の「助数詞」は日本語より規則性があります。日本語と違って、韓国語は「漢数詞」と「固有数詞」で使い分けがあり、「固有数詞」で使う「助数詞」には、日常よく使うものに「歳《サル》（살）・時《シ》（시）・時間《シガン》（시간）・個《ゲ》（개）・本《ビョン》（병）・人数（사람《サラム》／명《ミョン》）・冊《グオン》（권）・匹《マリ》（마리）・台《デ》（대）・枚《ジャン》（장）・箱《サンジャ》（상자）・杯《グルック》（그릇）・着《ボル》（벌）」などがあります。

ただ、「助数詞」がつくと、次の数字の発音が変化して、

一（하나）↓（한）

二（둘）↓（두）

三（셋）↓（세）

四（넷）↓（네）

二〇（스물）↓（스무）

となるため、注意が必要です。

たとえば「〜歳」は「〜살（サル）」ですが、一歳は「한살（ハンサル）」と言い、「하나

살（ハナサル）とは言いません。二歳も「둘살（トゥルサル）」ではなく「두살（トゥサル）」です。

「漢数詞」で日常よく使うものには「年《ニョン》（년）・月《ウォル》（월）・日《イル》（일）・分《ブン》（분）・秒《チョ》（초）・度《ド》（도）・ウォン（원）・回《フェ》（회）・泊《バク》（박）・階《チュン》（층）・番《ボン》（번）・点《チョム》（점）・個室《ホシル》（호실）」などがあります。

韓国語では「助数詞」の前につく「数詞」、つまり「漢数詞」と「固有数詞」の使い分けが重要ですが、日本語の場合は「助数詞」の使い分けに重きが置かれているように感じます。

しかも、一つの単語にいくつかの助数詞が使えたり、助数詞が明確に決まっていなかったりもします。私がいちばん難しさを感じたのは、「一本」「二本」「三本」と漢字を見れば、同じ「助数詞」（本）が並んでいます。でも、これを「いっぽん」「にほん」「さんぼん」と発音しなければならないことを知ったときには大げさではなく、目の前が暗くなりました。

この「助数詞」については、教室で教えるたびに、学生たちに十分に理解されていないと感じていますが、日本語の「助数詞」もかなり理解しにくいことをあらためて認識させられました。

9 「少しお待ち下さい」と「しばらくお待ち下さい」

時間的長さを示す日本語の表現に「少し」と「しばらく」があります。韓国語にも同様の表現があり、日常生活では、日本とほぼ同じ場面で使われるのが一般的です。

そして、日本の方に「少しお待ちください」と「しばらくお待ちください」では、どちらが短く感じますかと質問すれば、多くの方が「少しお待ちください」と答えると思います。

ところが、同じ質問を韓国人にすると、かなり異なる答えが返ってきます。これについて、私は日本と韓国の大学生それぞれ一五〇人ほどにアンケート調査をしたことがあり、その統計結果からも明らかです。

このアンケート結果では、どちらが時間的に短く感じるかという質問に、韓国人学生では「少し」が短く感じると回答した者は、四八・四%と半数以下でしたが、日本人学生は八八・五%と高い数字になりました。日本では一〇人中、ほぼ九人が「少しお待ちください」の方が短く感じると言えそうです。残りの日本人学生は「無回答」が八・九％、「時間差はない」が二・五％でした。

一方、「少しお待ちください」が短いと感じなかった、残りの半数以上の韓国人学生はどう捉えたのでしょうか。

「しばらくお待ちください」が「少しお待ちください」より短く感じる人が九・三％にのぼりました。日本人学生には「時間差はない」という回答はありましたが、「しばらく」が「少し」より短く感じる人はいませんでした。でも、韓国では一〇人中、ほぼ一人は「しばらく」が短いと感じました。

そのほかに、「時間的差はない」一・五％、「時間的長さの差がわからない」一八・七％、「無回答」一七・一％でした。

韓国人には、時間の長さを表現する場合の「少し」と「しばらく」では、その受けとめ方が日本とは逆転している人が少なからずいることがわかります。しかも、アンケート調査を実施した韓国人学生の三七％ほどが「少し」と「しばらく」の時間的長さの違いに明確な回答を出していませんでした。

このアンケート調査では、「少し」と「しばらく」の具体的な時間的長さも質問しています。その回答分布はかなり細分化されていましたので、時間的幅を広くとって、示してみます。

○「少し」

韓国人学生回答者

①	五分〜一〇分	一四・〇%
②	一分〜五分	一〇・九%
②	非常に短い時間	一〇・九%
④	一〇分以上	三・一%

日本人学生回答者

①	一分〜五分	四三・五%
②	一分以内	一二・八%
③	五分〜一〇分	八・九%
④	一〇分〜一五分	二・五%

○「しばらく」

韓国人学生回答者

① 五分~一〇分　七・八%
① 一〇分~一五分　七・八%
③ 五分以内　六・四%
④ 三〇分~六〇分　六・二%
⑤ ちょっと長い期間　四・六%
⑥ 一五分~三〇分　一・五%

日本人学生回答者

① 五分~一〇分　二一・七%
② 一五分~三〇分　一九・二%
③ 一〇分~一五分　一〇・二%
④ 五分以内　六・四%
④ 三〇分~六〇分　六・四%

「少し」と「しばらく」に対して、韓国人学生と日本人学生では顕著な違いがあることがわかります。日本人回答者は「少し」では「一分〜五分」に四三・五％の人が集中しています。これに「一分以内」の一二・八％を加えますとおよそ五六％にものぼります。「少し」が短い時間と感じる日本人が多いことと連動している回答率だと言えます。

また「しばらく」では「五分〜一〇分」が二一・七％、「一五分〜三〇分」が一九・二％と二極化しています。

一方、韓国人回答者では、「少し」で「一分〜五分」が一〇・九％　、「非常に短い時間」が一〇・九％で両者を合わせれば、およそ二一％になり、ここでも「少し」の方が短いとアンケート調査対象者の半数近くが答えているのと連動しています。しかし、そのほかの時間の長さでは、「少し」も「しばらく」も、いずれも分散傾向があります。つまり「少し」と「しばらく」を長さの区分で示すとなると、明確にできない人が多いことが窺えます。

さらに言えば、「しばらく」で、韓国人回答者は「一五分〜三〇分」では少数にとどまっていますが、「三〇分〜六〇分」になると、日本人学生回答者とほぼ同数になり、注目すべきは、「ちょっと長い期間」と「時間」ではなく、「期間」と回答している者も少なからずいたことです。

同じ意味で使っているはずの言葉にも解釈の違いが生じることが「少し」と「しばらく」にもあるようです。こうした言葉の解釈の食い違いが国際関係上のもつれにつながる可能性も否定できません。

では、なぜこのような違いが出たのでしょうか。

私は韓国人学生の回答は当然だろうと思いますし、たとえ学生でなくても、地域が異なっても同じような回答傾向になるだろうと思っています。特に今回の場合は「少し（しばらく）お待ちください」と相手から言われたと推測できる使い方ですから、よりはっきり日本との違いが現われたのだと思います。

これが「少し疲れた」「少し甘い」というように、〝時間的に〟ではなく〝量的に〟用いられた場合には、日本人と同様の傾向を示した可能性が大きいと思います。韓国語で〝量的に少し〟と〝時間的に少し〟では、表現が一般的には異なっていますから誰でも違いを認識することができるからです。

韓国語では〝量的に少し〟の時には「조금《チョグム》」と言います。「時間的に少し」に、この「조금」を使うと、ぞんざいな話しぶりと受け止められる可能性があり、私はできるだけ

使わないようにしています。日本語的に考えると、この〝量的に少し〟は「わずか」という意味ですから、「わずかにお待ち下さい」と言いますと奇異な感じになるのと似ているかもしれません。

それでは〝時間的に〟「少し」は韓国語ではどのように言うのでしょうか。ここに韓国の学生と日本の学生の回答にズレが生じた原因があると思っています。

日本人学生では「少し」が短いとの回答がほぼ九割に達しましたが、日本語を学んでいる韓国人学生が五割に達しなかったのは、彼らが韓国語の常識で発想したからなのです。

韓国語では「少し」と「しばらく」は同じ意味で使われることが多く、韓国のお店などで店員さんから「少しお待ちください」、あるいは「しばらくお待ちください」と言われた場合、いずれも「少しの間」と理解するはずです。このようなときに使われる「少し」と「しばらく」では、時間的長さに違いを感じないのが一般的です。

このような「少しの間」を意味する場合、韓国語では「잠깐《チャムカン》」、「잠시《チャムシ》」のいずれかが使われます。そのため買い物をしていて店員さんから、

「少し（しばらく）お待ちください」という意味で、

잠깐《チャムカン》 기다려《キダリョ》 주세요《ジュセヨ》。

잠시《チャムシ》 기다려《キダリョ》 주세요《ジュセヨ》。

と、いずれかで言われる可能性があります。一般的にはこの言い方に「만《マン》（だけ）」をつけて「잠깐만《チャムカンマン》」、「잠시만《チャムシマン》」と言います。「すぐに」という意味がはっきり加えられ、より自然な言い方になりますし、待ち時間の短いことが伝えられます。韓国語では「少し」を表す「しばらく」があるのです。

ところが「잠깐《チャムカン》」と「잠시《チャムシ》」はまったく同じ「ちょっと（しばらく）」ではなく、大変感覚的で曖昧といえば曖昧ですが、「잠깐」が「잠시」よりもさらに短い感覚です。でもこの程度の短さの違いはあまり気になりません。

いずれにしても、日本語を学んでいる韓国人学生が「ちょっと」と「しばらく」で「ちょっと」が短いと回答した割合が五〇％以下だったこと、また「しばらく」の時間を五分以内↓六・四％、五分～一〇分↓七・八％、一〇分～一五分↓七・八％、一五分～三〇分↓一・五％、三〇分～六〇分↓六・二％というように日本語的に考えれば「少し」に分類されそうな時間の長さでも分散傾向が見られたことも理解できると思います。

ところで、韓国語には「ちょっと」の意味になる「しばらく」と、長い時間を示す「し

ばらく」の使い分けがあります。この場合には「잠깐」あるいは「잠시」ではなく、「한참《ハンチャム》」あるいは「한동안《ハンドアン》」という言い方をします。ただし、ここでも使い分けがあります。「한참」は〝時間的〟に長いことを示し、「한동안」は〝期間的〟に長いことを示すのが一般的です。

この二つを使い分けることで、まちがいなく「長い時間」なのか、「長い期間」なのかがはっきりわかることになります。

韓国人学生の回答の中に「しばらく」の時間の長さを「ちょっと長い期間」とした回答者が約五％近くいたのも不思議ではないのです。

日本語で考えても、時間的長さを示す「少し」には曖昧さが残りますが、「しばらく」に比べれば、そのズレ幅は小さいと言えます。日本語での「しばらく」は大変曖昧な表現で、私のような外国人には厄介な言葉と言えます。つまり、相手にきちんと通じたのか、あるいは相手の「しばらく」を私がきちんと理解したのか、不安になる表現です。

もっとも、こうした程度を現わす表現には「少し」「しばらく」に限らず、どうしても曖昧さ、不透明感がつきまといがちです。なぜなら個人的な感覚が入り込むからです。

「しばらく」に対する韓国人学生の回答が日本人学生のそれと異なったのには、韓国語には時間的長さの違いによって「少し（しばらく）」の表現がそれぞれあって、ほぼ共通認識を持つことが可能になっているからです。しかし、日本語では「しばらく」で表現しないとなると、具体的な数値やほかの副詞や形容詞をつけ加えることで相手に伝えるしかありません。

その意味では、私のアンケート調査に協力してくれた韓国人学生たちには、日本語を学んでいただけに、判断に迷う厄介な質問項目だったと言えるかもしれません。

日本語の表現には、社交辞令のように〝言外の意味を汲み取る〟、つまり表現されていない部分を理解することが求められる場合が多いようです。おそらくそれが言語表現の特徴になっているのでしょうし、日本人の思考方法にも深く関係していると思っています。

どうやら、時間の長さを表すとき、特に外国人に伝える場合は、「少し（しばらく）」ではなく、具体的な数字を使って表現した方が良さそうです。正確に伝わりますし、行き違いが起きないはずです。

10　韓本語って何？

「韓本語《かんぽんご》」（한본어《ハンボノ》）という言葉や、その意味を知っている人は、次のような条件を備えていると思われます。

・韓国人で日本語を多少とも知っている。
・ユーチューブをよく見ている。
・ネット情報をつかんでいる。
・若者層。

このような韓国人であれば、「혼또니 배고파《ホントニ ペゴパ》」という言葉を理解できると思いますが、そうでなければ「ホントニ」はわからないでしょう。なぜなら「ホントニ」は「本当に」という日本語だからです。「ペゴパ」は韓国語で「お腹がすいた」という意味ですから、韓国語と日本語が混ざり合った表現なのです。

でも、こうした二つの異なる言語が混ざり合って、母語にはない表現を使い始め、互いに意志を疎通させるという現象は決して珍しいことではありません。

遊び心で使い始め、それがネット情報として広まり、若者中心とはいえ、彼らに受け入れられ、意識的に使われ始め、「韓本語」とか「韓日混合語」と呼ばれるようになっても不思議ではありません。

こうした事例では、まったく無意識に使われ始めることもあります。その良い例が小さな子どもたちが母語とは異なる言語環境で生活を始めると、母語とは異なる言語表現を混ぜて話し始めます。

私自身、日本に住む韓国人と韓国語で話しているとき、ふと「あれっ、今のは日本語！」と気がつきながら、相手にも通じているということが起きます。

また、異なる言語環境で生活を始めた一つの家族が、その家庭内で母語とは異なる言語表現を混ぜて使い始め、その家族のなかでしか通じないけれども、共通の言語空間が生まれることもあります。

このようにお互いに通じない異なる二つの言語を持つ者同士がなんとか理解し合おうとして、言語が接触し、混ざり合って、その言語環境の部外者からは奇妙で、理解不能な言葉が生まれてくる場合があります。こうした言語現象が「ピジン」（Pidgm 피진）とか「ピ

ジン語」と呼ばれる混合言語の誕生です。

こうした現象は異なる言語を持つ複数の民族が接触し、交流する時に生じるのですが、その言葉が閉じられた空間、限られた期間で終了せずに、世代を超え、空間を広げて使われ続けていく場合もありえます。つまり、ピジンを母語とする世代が出現してくることになります。母語ですから、公用語や共通語として使用され、文法、発音、語彙の統一が図られるようになり、「ピジン」とは区別して「クレオール」（Creole 크레올）と呼ばれ、完成された言語とみなされることになります。

このような言語上の発展段階で見れば、「韓本語」は、まだ遊びの段階にとどまっていると思います。しかし、言葉は生きています。それを証明するように、朝鮮半島が一九四八年に分断されて以降、韓国（大韓民国）と北朝鮮（朝鮮民主主義人民共和国）の朝鮮語の発音・語彙に違いが生じ、時には理解できない言葉も出てきています。

一方、日本語との関係で言えば、一九一〇年から一九四五年までの三五年間、朝鮮半島は日本の植民地となった歴史を背負っています。当然、言葉も支配され、現在の韓国語にも日本語がかなり多く残っています。特に若い韓国人の中にはそれが日本語であることさえ知らない人もいます。たとえば、次のような言葉です。

①우동　②오뎅　③카레　④소대나시　⑤가방　⑥돈까스

この六単語を韓国語の発音でカタカナ表記にしてみます。実際の発音は多少違うのですが、おおよそ推測はつくと思います。

①ウドン（うどん）②オデン（おでん）③カレ（カレー）④ソデナシ（袖無し）⑤カバン（かばん）⑥トンカス（とんかつ）

となります。

これらの言葉はいわば強制され、いつしか日常言語として定着していったものです。しかし、韓本語は誰からも強制されたわけではなく、遊び心から生まれた韓国語と日本語の混合語です。ですから、現時点では正式な言葉や文としては認知されていません。しかし、小説などにもときどき出てきていますから、日常生活で使われ始めているのは間違いありません。私自身「~데스까?」（~デスカ?）、「데스네」（~デスネ）といった軽い疑問や確認の時に使う日本語が使われているのを何度か耳にしたことがあります。

遊び心から始まった韓本語ですが、使いやすい、わかりやすい、細かいニュアンスが表現できる、言語構造が似ているといった理由も加わることで、一部は韓国語のなかに定着していく可能性も否定できません。

次は韓本語がまだ遊び段階であることを教えてくれるものですが、その使い方を示しているものを韓国のネット上で見つけましたので、そのほんの一部を紹介してみます。傍線部分（隣のカタカナ表記した箇所）が日本語です。

여어 히사시부리!　도, 도움 구다사이!　아노네…에또…할말이있다요!
やあ、**ヒサシブリ！**　助、助けて**クダサイ！**　**アノネ…エート…**話があるん**ダヨ！**

제발 야메로오오오~!!!　…약소꾸다요　배쯔니…궁금하지 않은데?
もう、**ヤメロオオオ~!!!**　…**ヤクソクダヨ**　**ベツニ…**興味ないんだけど？

와타시가 나설 차례인가　머리가 이타이데스　살아있어서 요캇타…!
ワタシガ出る番かな　頭が**イタイデス**　生きていて**ヨカッタ…！**

일상 생활 다이죠부? 손나코토 신경 안쓴다제! 자세한 설명은 생략스루.

日常生活**ダイジョウブ**? **ソンナコト**気にしないん**ダゼ**! 詳しい説明は省略**スル**。

これらのほかに韓本語としてよく使われる日本語の例としては、

・良い（이이→イイ）
・美味しい（오이시이→オイシイ）
・可愛い（카와이이→カワイイ）
・面白い（오모시로이→オモシロイ）
・気持ち（기모찌→キモチ）
・幸せ（시아와세→シアワセ）
・全然…ダメ（젠젠…다메→ゼンゼン…ダメ）
・ちょっと（좃또→チョット）
・はい（하잇→ハイ）
・〜しました（〜시마시따→シマシタ）
・〜から（〜까라→カラ）

・～まで　（～마데↓マデ）
・～さん　（～상↓サン）、～ちゃん（～쨩、쨩↓チャン）
・～は　（～와↓ハ）
などがあります。まだほかにもあるのですが、これらのうちどれが定着していくのか、あるいはすべて消えてしまうのかわかりません。

しかし、一九六〇年代からの「日帝残滓《ざんし》の清算運動」との関連から、日本統治時代（一九一〇年～一九四五年）に使われていた日本語を排除しようとする「国語純化運動」が韓国では今も続けられています。その一方で、今回取り上げた韓本語のように、まったく異なる歴史的、文化的背景を土壌《どじょう》とする韓国語と日本語の混合語が若者を中心に生み出され、使われてきています。

まるで「日帝残滓《ざんし》清算運動」なんて関係ないと言わんばかりの韓本語の出現は、両国の文化的交流のゆくえに新しい可能性を示唆しているのかもしれません。

おわりに

私は二〇一八年五月に『韓国　近景・遠景』（論創社）を上梓《じょうし》しました。その時は、韓国という国を少しでも理解していただきたいという思いから、さまざまなテーマを取り上げましたから、いわば〝ごった煮〟風な内容になっていました。

全般的に韓国を知っていただくということでは、それなりに意味があったと思っていますが、その一方で、大雑把にでもテーマを絞ってもいいのではと頭の隅にありました。

それが今回、〝大雑把なテーマでまとめる〟ことのお許しを論創社の森下紀夫社長よりいただくことができ、『韓国――ことばと文化』として刊行できますことは、私としては望外《ぼうがい》の喜びとなりました。

本書には三一篇の文章を収めましたが、「韓国の姓名について」「韓国の専業主夫」「流行語から見える韓国」「カンガルー族」「コングリッシュ」「「先生様」と「さようなら」」の六篇は前著『韓国　近景・遠景』からの再録です。〝大雑把なテーマでまとめる〟内容に、ふさわしいと考えたからです。ただし、今回、収録するにあたって語句や言葉遣いを一部書き直したり、新しい統計資料によって追加した箇所があります。

また「第一章 生活・伝統」の「『朝』と『夕方』」、「第三章 ことば・文化」の「『少しお待ちください』と『しばらくお待ちください』」との二篇は、大妻女子大学の「二〇一八年度戦略的個人研究費」による研究助成の成果の一部です。この場を借りて大学にお礼を申し上げます。

本書は「ことば」を通して韓国の「文化」を理解することを目的として編集しましたが、取り上げた事項が過不足なく収録されているとは、とても言えません。これからもことばと文化のかかわりには目を注いでいきたいと思っています。

それにしても本書に収めた文章にあらためて目を通してみて、痛感したことがあります。それは言葉の表記がますますハングルだけになってきている韓国と漢字・ひらがな併用の日本とでは、育《はぐく》まれる文化の集積の違いが次第に大きくなってきているのではないかという点です。

韓国でも伝統的な民俗行事が次第に生活の中から遠ざかり、薄れ、忘れられてきています。そして、確実にそこで使われていた言葉が消え始めています。たとえば、韓国人の食生活で切っても切れないキムチですら、自分で作る〝我が家のキムチ〟（日本的に言えば「おふくろの味」）に代わってスーパーマーケット物になってきてしまっています。そして、キムジャン文化がだんだん遠くなっています。

漢字の文献資料が読めないハングル世代が多数を占めるようになっている韓国では、漢字の素養を活かした言葉は生まれにくくなってきているのかもしれません。

それだけに、本書で取り上げた言葉の諸相《しょそう》を通して、韓日両国の類似点や相違点を理解しておくことは、これからの両国の交流を深める一助になるかもしれないと密《ひそ》かに思っています。

最後になりましたが、本書の刊行に多大なご理解とお心遣いをいただきました森下紀夫論創社社長には深くお礼を申上げます。

また刊行までご助力いただいた編集氏にも厚くお礼を申上げます。

二〇二〇年一二月一三日

延　恩株

❖著者略歴

延 恩株（ヨン・ウンジュ）

韓国ソウル特別市生まれ。大妻女子大学准教授。学術博士。

主な研究領域は環太平洋地域文化、日韓比較文化、韓国語教育。

著書に『韓国と日本の建国神話――太陽の神と空の神』（論創社 2018年　第13回湯浅泰雄著作賞受賞）、『韓国　近景・遠景』（論創社 2018年）、『速修韓国語 基礎文法編』（論創社 2017年）、『文化研究の新地平――グローバル時代の世界文化』（はる書房 2007年 共著）他がある。

韓国——ことばと文化

2021年3月25日　初版第1刷印刷
2021年3月30日　初版第1刷発行

著　者　延　恩株
発行者　森下紀夫
発行所　論　創　社
〒101-0051　東京都千代田区神田神保町 2-23　北井ビル
tel. 03（3264）5254　fax. 03（3264）5232
web. http://www.ronso.co.jp/
振替口座 00160-1-155266

装幀／宗利淳一
印刷・製本／中央精版印刷　組版／ダーツフィールド

ISBN978-4-8460-2004-0